Françoise David

Pour bâtir un
monde solidaire,

Françoise David

Saint-Irénée, le dimanche 22 oct.
2011
Les voyages forment

la jeunesse !

Pour le plaisir de

découvrir Charlevoix

Diane

Du même auteur
chez le même éditeur

René Dupéré : une musique planétaire (1998)

Jean-Claude Turcotte : l'homme derrière le cardinal (1998)

Claude Castonguay : un artisan du Québec moderne (1998)

Denise Bombardier : tête froide, cœur tendre (1998)

Michel Dumont : grandeur nature (1999)

Maurice Couture : encore un mot (2002)

Pierre Maisonneuve

en collaboration avec Josée Latulippe

Françoise David

Solidaire, d'abord!

NOVALIS

Cette grande entrevue de Pierre Maisonneuve avec **Françoise David** est publiée par Novalis.

Direction de la collection : Pierre Maisonneuve

Direction littéraire : Josée Latulippe

Éditique : Caroline Gagnon

Couverture : Mardigraphe

Photographies : Claude Lacasse, couverture; archives personnelles, p. 9, 21, 28, 31, 33, 118, 125; La Presse/Bernard Brault, p. 38; CPimages/Jacques Boissinot, p. 77; Joanne McDermott, p. 84.

© 2003: Novalis, Université Saint-Paul, Ottawa.

Dépôts légaux : 1er trimestre 2003
Bibliothèque nationale du Canada
Bibliothèque nationale du Québec

Novalis, 4475, rue Frontenac, Montréal (Québec) H2H 2S2

C.P. 990, succursale Delorimier (Québec) H2H 2N7

ISBN : 2-89507-363-5

Imprimé au Canada

Nous reconnaissons l'aide financière du gouvernement du Canada par l'entremise du Programme d'aide au développement de l'industrie de l'édition (PADIÉ) pour nos activités d'édition.

Catalogage avant publication de la Bibliothèque nationale du Canada
David, Françoise
    Françoise David : solidaire, d'abord!
    (Les grandes entrevues Pierre Maisonneuve)
    ISBN 2-89507-363-5
    1. David, Françoise – Entretiens. 2. Fédération des femmes du Québec. 3. Féministes – Québec (Province) – Entretiens. I. Maisonneuve, Pierre, 1942- . II. Latulippe, Josée. III. Titre. IV. Collection : Grandes entrevues Pierre Maisonneuve.
HQ1455.D28A5 2003   305.42'092   C2003-940494-3

NOVALIS

Présentation

Pendant quatre mois, après juin 2001, le paysage média-tique ne fut plus le même au Québec. Les femmes étaient orphelines d'une voix. Françoise David s'était tue, le temps d'un congé sabbatique, après des années de combats ardus mais exaltants à la tête de la Fédération des femmes du Qué-bec. De la célèbre marche « Du pain et des roses » à la Marche mondiale des femmes de l'an 2000 à Washington et à New York, Françoise était toujours en première ligne.

Partie pour l'Afrique, notre Françoise! Histoire d'y retrouver peut-être un nouveau défi. Un long détour pour se faire dire par un ami africain qu'elle est « une cheffe », ce que nous savions déjà depuis longtemps. Et pour découvrir que sa place de militante et de combattante n'était pas au sein de la so-ciété malienne ou d'un autre pays du tiers-monde, mais chez elle, au Québec.

Et « la cheffe » Françoise David est revenue avec des idées plein la tête, la conviction renouvelée que le monde doit changer et qu'elle doit contribuer à le changer. Elle n'a pas tardé à épouser une autre cause, celle des travailleuses et travailleurs non syndiqués. Avec l'organisme Au bas de l'échelle, elle a gagné la bataille des normes du travail. En janvier 2003, elle est repartie vers un nouveau combat contre la montée des idées de droite au Québec. Où cela la mènera-t-il?

Elle est utopiste, idéaliste, oui. Mais réaliste aussi.

J'ai voulu la rencontrer dans un cadre différent des entre-vues habituelles qu'elle nous accorde pour défendre les femmes, les pauvres, les exclus, pour dénoncer la pauvreté et la violence.

J'ai voulu comprendre ce qui alimente sa soif de justice sociale, ce qui la pousse à s'opposer aux mieux nantis, ce qui la place sur le chemin des puissants pour leur rappeler leurs devoirs, leurs responsabilités, leurs contradictions.

Je vous invite à partager cet entretien avec une femme de feu qui n'élève jamais la voix pour exprimer sa colère. Elle n'a pas besoin de le faire pour être entendue.

Pierre Maisonneuve
Montréal, le 12 janvier 2003

Introduction

Françoise David, quand vous avez quitté la Fédération des femmes du Québec, j'ai l'impression qu'un vieux rêve de jeunesse est remonté à la surface : aller servir ailleurs, dans le tiers-monde, chez les plus démunis. Pourquoi?

Pour comprendre le fait que j'aie besoin de partir régulièrement, il faut remonter très loin : probablement jusqu'aux séances de projection de diapositives organisées à la maison par mon père au retour de ses congrès médicaux qui l'amenaient aux quatre coins du monde. Pendant des heures, je pouvais rester figée devant l'écran, fascinée par les diapositives. Je découvrais le monde.

Cela m'a vraiment marquée. De plus, dès l'âge de vingt ans, j'ai passé six mois en Afrique. J'ai dû écourter mon séjour à cause de la maladie de ma mère. Je suivais alors les traces de mon frère aîné, Pierre, qui avait passé deux ans au Rwanda.

Ainsi, pour moi, la curiosité associée aux voyages, l'idée d'aller ailleurs ne date pas d'hier! Chaque fois que je me retrouve dans une période charnière de ma vie, je pars. Pas très longtemps, mais je vais ailleurs. Je l'ai fait à vingt ans, au Rwanda; à trente-sept ans, en 1985, au Nicaragua; et en décembre 2001, au Mali.

Avant même d'avoir quitté la Fédération des femmes du Québec, j'avais eu l'intuition que je devrais prendre une pause après mon départ. D'abord parce que j'ignorais totalement ce que je ferais après. Et je soupçonnais que j'aurais besoin de repos.

J'entrevoyais une pause de quatre mois. Mais la femme active en moi a peut-être eu peur de trouver le temps long… J'ai donc cherché quelque chose à faire pour le quatrième mois. Je voulais me rendre utile. J'ai choisi de proposer mes services bénévoles à deux organismes de coopération internationale. Les deux m'ont rappelée une semaine plus tard. J'ai choisi la proposition de SUCO

(Solidarité, union, coopération). Ils m'invitaient à aller rencontrer leur équipe malienne et à visiter les villages où ils interviennent, dans le but d'évaluer leur action dans une perspective féministe, de déterminer en quoi leurs projets permettent d'améliorer les conditions des femmes.

Cette proposition avait l'avantage de me conduire dans un coin du monde où je n'étais jamais allée, l'Afrique de l'Ouest, et de me faire rencontrer des gens sur le terrain. J'espérais que mon séjour soit utile — j'avais tout de même un bagage de plusieurs années d'expérience et j'apportais un regard féministe extérieur. Mais j'ai dit aussi aux intervenants de SUCO : « Soyons modestes. Je ne connais ni la mentalité, ni la culture, ni la religion, ni la langue des gens. Je peux poser des questions, mais vous connaissez probablement mieux que moi les réponses! »

Vous avez donc eu besoin de vous rendre au Mali pour qu'un ami africain vous rappelle que vous êtes « une cheffe ». Vous aviez vraiment besoin qu'on vous le dise?

Il faut croire que oui…

Comment cela s'est-il passé?

Après avoir quitté la Fédération, je me suis retrouvée dans un état de fatigue incroyable. J'ai mis deux mois uniquement à surnager! J'ai eu des problèmes d'acouphènes, puis d'hypoglycémie.

Le troisième mois passé dans le Bas du fleuve a été merveilleux. Je suis revenue à Montréal au début septembre. Puis, le 11 septembre est arrivé. Quel choc! Les guerres, les bombes, les missiles, toutes ces choses me bouleversent profondément. Je ne veux pas les accepter ni les justifier. J'essaie de comprendre, d'analyser les enjeux des guerres, mais une immense partie de moi s'indigne : « Quelle barbarie! »

J'ai vécu difficilement cette période, avec les bombardements en Afghanistan qui ont suivi et de nouveaux problèmes de santé. J'avais accepté un contrat avec la Fédération des femmes du Québec. À l'automne 2001, j'ai donc fait le tour du Québec, rencontrant des groupes de femmes pour discuter de la prostitution, ce qui a été passionnant mais assez fatigant.

Finalement, en décembre 2001, je me suis envolée pour le Mali troublée, fatiguée, mais heureuse de partir. Je me doutais, au fond, que ce séjour en Afrique me ferait du bien. Je laissais tout derrière moi. J'y allais l'esprit ouvert, en me disant : « Je ferai ce que je peux. » Il me fallait d'abord apprendre, essayer de comprendre. Ensuite, seulement, si j'avais quelque chose d'intelligent à dire, je pourrais le faire.

La première semaine, j'ai visité plusieurs coins du pays. J'ai fait de belles rencontres avec des gens formidables. Au bout de deux jours, je savais que l'expérience me plairait. C'est difficile à expliquer : je me sentais bien, tout simplement.

La deuxième semaine, je me suis rendue au village de Sanancoroba où j'ai rencontré Moussa, un des principaux leaders de l'équipe SUCO au Mali. J'avais bien sûr beaucoup entendu parler de lui. Il fut l'âme du projet « Des mains pour demain », un jumelage entre le village de Sanancoroba et celui de Sainte-Élizabeth, dans Lanaudière, au Québec. Des gens des deux villa-

Mali, décembre 2001

ges travaillent ensemble depuis plus de quinze ans. L'implication de SUCO est plus tardive. En observant le développement économique local à Sanancoroba, fruit du jumelage, les villages avoisinants ont trouvé l'idée intéressante et ont voulu développer eux aussi de tels projets. C'est à ce moment qu'est intervenu SUCO, soutenant les intervenants locaux, donnant de la formation — en gestion, en tenue de livres, en organisation d'assemblée, etc. Aujourd'hui, le développement de cette région est fulgurant. Au départ, les projets se limitaient à un seul village. SUCO intervient maintenant dans une soixantaine de villages. Je suis donc arrivée à un moment de grand développement. On me demandait de faire le bilan du point de vue des intérêts, des préoccupations et des besoins des femmes.

C'est à Sanancoroba que j'ai rencontré Moussa. Nous avons très rapidement sympathisé. Nous sommes du même âge. Le premier soir, assis à l'extérieur de chez lui, nous savourions une tasse de thé, après le souper. Il était huit ou neuf heures. La nuit était tombée. Nous nous sommes retrouvés seuls tous les deux. Moussa s'est mis à me parler de lui, de ses interrogations d'homme de cinquante-quatre ans qui a beaucoup donné pour son village et pour sa région. Aujourd'hui, des jeunes prennent progressivement la relève. Moussa se demandait au fond s'il devait leur laisser la place. De quelle façon devrait-il continuer? Nous avons échangé également sur la situation mondiale. Comme moi, il trouvait que le monde allait plutôt mal. Il est d'ailleurs l'un des seuls, au Mali, à m'avoir parlé de l'Afghanistan.

Nous avons discuté de tout cela. Et spontanément, je me suis mise à lui confier que je me retrouvais à la croisée des chemins et que je me demandais ce que j'allais faire, où je pourrais être la plus utile, comment… À cette époque-là, je n'avais rien écarté; j'avais encore la tête pleine d'idées, mais aucune ne « m'allumait ». Sachant le rôle que j'avais joué dans la Marche mondiale des femmes, Moussa m'a dit : « Écoute, Françoise, tu es "une cheffe". Que veux-tu, c'est toi! » Oui, je le savais, et depuis l'âge de douze ans. Mais on dirait qu'à certains moments de notre vie nous avons besoin qu'une personne entièrement extérieure à notre quotidien nous dise une phrase toute simple comme celle-là pour déclencher en nous toute une réflexion.

C'est ce qu'a fait Moussa. Pendant tout le reste de mon séjour au Mali, ma réflexion s'est poursuivie. « Moussa a raison. C'est vrai, je suis "une cheffe". Et au fond, c'est ce que j'ai envie d'être. » Une question demeurait cependant : « Où est-ce que je veux être "une cheffe"? Chez moi, au Québec? à l'étranger, au sein d'un organisme international? » En revenant, ma décision était ferme : il était clair que, pour le moment, je souhaitais continuer à travailler chez moi, au Québec. J'avais acquis cette conviction profonde.

Pourquoi cette phrase de Moussa a-t-elle eu autant de résonance en vous? Était-ce l'air du temps, l'atmosphère du lieu, le fait de vous retrouver au bout du monde?

Peut-être était-ce le fait qu'une personne qui me connaissait très peu me dise une phrase très simple mais si juste. Si une personne qui ne m'a jamais vue, qui habite dans un autre pays, vit une autre réalité, une autre culture, me dit une chose qui lui paraît aussi évidente... ça doit bien être vrai!

Il est vrai aussi que le côté « bout du monde » y était pour quelque chose. Mais il y a autre chose. Moussa est désormais un ami, que je ne verrai qu'une fois ou deux par année, ce n'est pas une personne avec qui je pourrai parler régulièrement. Cependant, il arrive parfois que deux êtres humains — hommes ou femmes — se rencontrent pour la première fois et développent très rapidement entre eux une sorte de « chimie ». Ces êtres sentent qu'ils sont vraiment sur la même longueur d'onde. C'est ce qui s'est produit ce soir-là, dans un petit village du Mali : dans le questionnement de Moussa et dans mon désarroi, nous étions deux êtres humains cherchant leur voie.

Vous êtes donc « une cheffe »... Nous vous attendions, à votre retour, à la tête d'un parti politique de gauche. Or nous vous avons retrouvée au sein d'un organisme communautaire, Au bas de l'échelle, à faire ce que vous savez si bien faire, vous l'avez prouvé

depuis de nombreuses années. Mais pourquoi ce choix? Pour ga-
gner votre vie?

À l'automne 2001, je devais répondre à deux questions importantes : comment vais-je gagner ma vie? Et ai-je suffisamment
d'énergie pour mettre sur pied un parti politique féministe de
gauche?

J'ai donné presque quinze ans au mouvement des femmes, sept
ans comme présidente de la FFQ et les sept années précédentes
comme coordonnatrice du Regroupement des centres de femmes du Québec. Avant cela, j'ai passé quinze ans dans le secteur
public où je me suis impliquée à fond, j'ai œuvré dans le milieu
syndical, j'ai vécu un *burn-out*, etc. À l'automne 2001, j'avais besoin d'un temps d'arrêt et j'ai eu la chance et le privilège — que
bien des gens n'ont pas — de pouvoir le vivre.

À ce moment-là, je commençais à comprendre que je n'avais
pas l'énergie de me lancer dans la création d'un nouveau parti
politique. Restait l'autre question : comment gagner ma vie? J'avais
vu diverses possibilités. Bien des gens s'imaginaient que, dès que
j'aurais quitté la Fédération des femmes du Québec, les offres
d'emploi pleuvraient. Je n'en ai eu aucune, sauf un petit contrat
pour organiser un colloque. Je m'y attendais. Je n'ai donc été ni
déçue, ni fâchée, ni triste.

Bien des gens savaient que j'étais en période de repos. Je crois
que plusieurs personnes ont attendu que je fasse signe, que j'annonce que j'étais disponible. On m'a dit aussi que dans le mouvement communautaire, des groupes se disaient : « On ne peut pas
demander à Françoise David de venir travailler avec nous. Pas au
salaire qu'on peut lui offrir! » Mais les gens avaient oublié que,
comme présidente de la FFQ, je ne gagnais pas des millions. La
FFQ est un organisme communautaire!

J'ai donc commencé à explorer certaines pistes — des gens que
j'aurais pu approcher, des métiers dans lesquels j'aurais pu me
lancer. Mais chaque fois que je m'approchais de quelque chose, je
finissais toujours par prendre conscience que je n'en avais pas
vraiment envie.

Toutefois, une idée a commencé à germer en moi au mois de juin, est revenue en septembre, puis en décembre. Cette idée qui partait et revenait, peut-être était-ce la bonne? Il s'agissait de proposer au groupe *Au bas de l'échelle* de travailler avec lui. Je le connaissais bien, nous avions travaillé ensemble dans le cadre de la marche de 1995 et, surtout, pour celle de l'an 2000. Le groupe œuvre principalement auprès des non-syndiqués, dans les batailles autour du salaire minimum et de la Loi sur les normes du travail. Je savais que l'organisme souhaitait faire de la question de la révision des normes du travail une priorité. J'ai demandé à rencontrer les responsables et leur ai proposé de travailler avec elles. Je savais qu'elles avaient peu d'argent; je leur ai dit que je pouvais les aider à en trouver. Ce que j'ai fait, d'ailleurs. J'ai commencé à travailler pour *Au bas de l'échelle* le 5 février 2002.

Lorsque vous étiez employée des services publics, vous avez travaillé pour les familles monoparentales, pour les groupes de femmes. Ici encore, vous vous retrouvez au sein d'un groupe qui a des besoins spécifiques. S'agit-il pour vous d'un retour à la case départ?

Cela m'arrive de temps en temps. Cela dure habituellement un certain temps, puis les choses se développent autrement; je finis par me retrouver devant des défis plus grands que nature. Mais j'ai effectivement besoin, après ces grands défis, de me recentrer sur des questions plus terre à terre et ô combien importantes pour les gens.

Par ailleurs, je sais que certaines personnes se sont posé des questions à propos de ce choix. Après la FFQ, bien des gens ont cru tout naturellement qu'on me retrouverait dans de très hautes fonctions, que mon plan de carrière me conduirait en politique ou dans un organisme international bien en vue. Après la marche mondiale de l'an 2000, pourquoi pas chargée de mission aux Nations Unies? Et l'on m'a retrouvée plutôt dans un organisme communautaire, à faire campagne pour une révision de la Loi sur les normes du travail. « Cette femme manque d'ambition! » diront certains.

Mais moi, j'ai adoré ce travail avec une équipe exceptionnelle. J'ai refait — encore une fois — le tour du Québec et rencontré des centaines de gens. Nous sommes parvenues à obtenir l'adoption d'une Loi sur les normes du travail bien améliorée, le 19 décembre 2002. J'ai pu dire : « Mission accomplie! » Depuis plusieurs années, c'était la première fois que j'avais le sentiment de toucher à des gains réels, concrets et immédiats, pour des milliers de gens. Quel bonheur!

Et maintenant, en janvier 2003, un nouveau combat?

Je me lance, avec quelques dizaines de personnes, dans la création d'un mouvement politique d'éducation et d'action contre la montée des idées de la droite au Québec. Un mouvement dont je ne serai pas « la cheffe » mais l'une des principales porte-parole.

Un parti politique, avec ça?

Je ne sais pas. Nous verrons. Laissons la vie décider…

1

Quelle famille!

Françoise David se lasse parfois d'entendre les journalistes rappeler sans cesse qu'elle est issue de la bourgeoisie d'Outremont où elle est née il y a maintenant cinquante-cinq ans.

Elle m'en voudra peut-être d'ajouter d'autres éléments à son histoire familiale.

L.-O. David a donné son nom à une rue de Montréal. Athanase David, c'est le nom d'un pont. Paul David, celui d'un pavillon de l'Institut de cardiologie de Montréal. Charles Maillard fut directeur de l'école des Beaux-Arts de Montréal, de 1925 à la fin des années 40. Mais ce sont surtout quatre noms importants liés à notre histoire et à celle de Françoise David.

- *Laurent-Olivier David (1840-1926) : avocat, journaliste, historien, député et sénateur libéral. Auteur de plusieurs livres historiques. Père d'Athanase David et arrière-grand-père de Françoise.*

- *Athanase David (1881-1953) : avocat, député, secrétaire et registraire de la province de Québec dans les gouvernements Gouin et Taschereau. Pour encourager la création, il a établi, en 1922, les concours littéraires et scientifiques du Québec. Sénateur libéral, père de Paul David et grand-père de Françoise.*

- *Paul David (1919-1999) : médecin, cardiologue, fondateur du prestigieux Institut de cardiologie de Montréal,* professeur à la faculté de médecine de l'Université de Montréal. Contrairement à son père et à son grand-père, il n'était pas avocat et c'est sous l'étiquette des conservateurs qu'il a été nommé sénateur par Brian Mulroney. Il est le père de Françoise.

- D'origine française, Charles Maillard fut le directeur montréalais d'une école des Beaux-Arts en pleine expansion... jusqu'au jour où des peintres plus jeunes et moins académiques ont voulu « secouer les murs du temple ». Plusieurs d'entre eux étaient signataires du Refus global. Charles Maillard est le grand-père maternel de Françoise.

(D'après Jean COURNOYER, La mémoire du Québec : de 1534 à nos jours, Montréal, Stanké, 2001, p. 384-385)

Comme on peut le constater, les David sont sénateurs de père en fils! L'histoire a retenu davantage le nom des hommes de la famille. Les femmes sont moins connues. Il y a d'abord Antonia David, épouse d'Athanase, très cultivée, qui a apporté son soutien à la création de l'Orchestre symphonique de Montréal. Et Nellie Maillard, épouse de Paul David, mère de six enfants et auteure de trois romans. Cette femme écrivait sous un nom de plume, celui d'Anne-Marie. Nellie ou Anne-Marie, donc, la mère de Françoise.

Françoise David a fait le chemin inverse de la plupart des gens qui ont réussi. Elle est passée d'Outremont au quartier Rosemont, qu'elle habite depuis deux décennies. À peine dit-elle qu'elle s'ennuie des grands arbres des rues ombragées de son enfance, émondés avec art, contrairement aux arbres du quartier Rosemont.

Est-il vrai que vous hésitez à parler de vos origines familiales?

Parler de mon enfance bourgeoise ne me pose aucun problème. Vers la fin de mon emploi à la Fédération des femmes du Québec, cependant, beaucoup de journalistes ont souhaité faire des entrevues avec moi. Après avoir répété au moins cinquante fois la même histoire, j'ai fini par dire aux journalistes : « Vous n'aimeriez pas qu'on parle d'autre chose? »

Mais je comprends que dans le contexte d'un livre comme celui-ci nous devions en parler et je l'accepte volontiers. J'ai beaucoup de respect pour mon père. Je connais beaucoup moins mon grand-père et mon arrière-grand-père. J'ai lu, il y a fort longtemps, le livre *Les patriotes*, de Laurent-Olivier David, mon arrière-grand-père. J'ignore ce que j'en penserais aujourd'hui, mais à l'époque, j'avais bien aimé. De mon grand-père Athanase, je sais entre autres qu'il a initié le premier programme d'assistance publique au Québec.

Les femmes de la famille

Mais les femmes de ma famille passent souvent inaperçues et ça, ça me dérange. La femme d'Athanase, par exemple, Antonia David. Elle aussi devrait figurer au dictionnaire des gens célèbres. Elle a contribué, avec Wilfrid Pelletier, à la fondation de l'Orchestre symphonique de Montréal. Je pense aussi à ma tante Simone qui, avec d'autres, a mis sur pied l'hôpital Marie-Enfant, voisin de l'Institut de cardiologie.

Qu'en est-il de votre grand-mère maternelle?

Elle a rencontré mon grand-père à Lyon durant la Première Guerre mondiale. Mon grand-père Maillard était pied-noir, un Français né en Algérie. Son père travaillait en Algérie, dans les chemins de fer, je crois. À dix-sept ans, mon grand-père émigre au Québec. Puis éclate la guerre de 1914-1918. Il s'enrôle. Blessé à l'oreille, en convalescence dans un hôpital de Lyon, il rencontre une bénévole… qui deviendra ma grand-mère. Elle a dix-sept ans; il est plus âgé qu'elle. C'est le grand amour. Suite à quelques jours de permission, elle devient enceinte. La guerre se termine. Ils se marient et reviennent tous deux au Québec avec ma mère, alors âgée de dix-huit mois. Ma mère est donc née en France.

Enfant de l'amour…

Oui, mais leur relation se gâte au bout de quelques années. Mon grand-père était un être autoritaire et la vie quotidienne avec lui était difficile. Ma grand-mère se sépare de mon grand-père et retourne en France, sans sa fille. À l'époque, une femme ne quitte pas son mari! Si elle brave les interdits, elle perd souvent ses enfants. Jamais mon grand-père ne lui accordera le divorce, pas même vingt ans plus tard quand ma grand-mère voudra épouser son nouvel amour. C'est particulièrement cruel, car elle devra alors renoncer à une relation amoureuse qui la comblait.

Ma mère retrouve sa mère seulement en 1945, grâce à la Croix rouge française. Profitant des congrès de médecine de mon père, elle se rend régulièrement en France et la revoit. Elles entretiennent également des liens par correspondance.

Nous, les enfants, nous ignorons tout cela. C'est vers l'âge de douze ans qu'un jour ma mère juge opportun de me révéler l'existence de ma grand-mère. Je suis bien sûr extrêmement surprise, mais cela demeure un événement très heureux de mon adolescence. J'idéalise totalement cette « mamie » que je n'ai jamais vue. Je me mets à correspondre avec elle régulièrement. Je lui écris tous mes malheurs d'adolescente. Elle est très intelligente, ma grand-mère! Institutrice à la retraite, elle est allumée, vivante, sportive! Nous correspondons pendant plusieurs années, jusqu'au jour où je me rends en France. J'ai vingt-quatre ou vingt-cinq ans, elle en a soixante-quinze. Je rencontre ma grand-mère et ça « clique »! Je suis dans une période très contestataire… et ma grand-mère est gaulliste et catholique. Nous nous disputons parfois, mais nous avons beaucoup de plaisir ensemble.

Avec cette femme d'une énergie et d'une détermination tout à fait exceptionnelles, au caractère fort, je découvre une autre partie de mon histoire. Quand je la rencontre pour la première fois, elle a soixante-quinze ans, cheveux blancs, yeux bleus. Qu'elle est belle! Elle me fascine. Nous nous reverrons plusieurs fois avant sa mort, en 1981. Lorsque j'ai su que son état de santé se détériorait, j'ai pris l'avion et j'ai passé trois semaines à son chevet.

Mes frères et sœurs l'ont aussi connue, mais j'ai eu la chance de vivre avec ma grand-mère une relation extraordinaire, faite de dizaines de lettres, de téléphones et de rencontres inoubliables.

Et puis il y a ma mère. Elle écrivait sous un nom de plume, mais pas dans le but de cacher son identité. Tout le monde savait qu'Anne-Marie, c'était en fait Nellie Maillard, qu'on appelait Lili, la femme du docteur. Son premier roman, *L'Aube de la joie*, est plutôt autobiographique. Les deux autres, *La nuit si longue* et *Maintenant et toujours*, sont des romans de fiction. Elle écrivait bien, mais il ne s'agit pas d'œuvres qu'on peut qualifier de grande littérature. Ma mère était aussi une fervente catholique, mais en même temps une femme très humaniste. Elle a été emballée par le concile Vatican II. Vous voyez un peu le genre de personne.

Cela constituait une ouverture considérable dans le contexte de l'époque.

Tout à fait. En même temps, ma mère a grandement déploré, dans les années 60, le fait que les écoles et les collèges passent des mains des communautés religieuses aux laïcs, qu'ils soient désormais dirigés par le ministère de l'Éducation. Cela faisait partie de ses contradictions.

Ma mère était une femme de feu, une femme de passion, éprise de justice sociale. Elle nous a élevés dans le plus grand respect des personnes à faible revenu. Chez nous, le mépris des gens plus pauvres, la condescendance, le paternalisme envers eux étaient interdits. Une telle attitude influence grandement les enfants.

Ma mère a vécu à une époque où la principale réalisation d'une femme était d'élever ses enfants. Ce qui n'est pas rien! Elle travaillait du matin au soir… tout en écrivant ses livres. Elle était aussi très impliquée dans la société et au sein de l'Église. Dans les années où j'étais guide, elle était active au comité de parents. Elle a participé activement aux foyers Notre-Dame, puis au mouvement de renouvellement de l'Église dans les années 1966-1967. Ma mère était une femme très active, bien informée, avec qui nous pouvions discuter de divers sujets.

C'était aussi une romancière. Était-ce une femme rêveuse?

Oh oui!

Et vous le dites avec plaisir…

Oui! Lorsqu'elle en avait le temps, je me rappelle l'avoir vue à la campagne, assise au bord de l'eau, simplement pour réfléchir ou pour lire. Ma mère aimait beaucoup la lecture, goût qu'elle m'a d'ailleurs transmis.

Contrairement à un certain nombre de femmes de son milieu, Lili n'était pas tellement du genre « tasse de thé, petits fours », selon son expression. Elle était la femme des amitiés profondes. Elle appréciait les conversations intenses et sérieuses. En même temps, elle était très drôle! Elle avait aussi du caractère, c'est le moins qu'on puisse dire! Cela n'a pas toujours fait mon affaire… surtout à l'adolescence! Nous nous sommes parfois disputées à cette époque, ma mère et moi.

Mon père était un homme de passion intérieure pour l'objectif qu'il poursuivait, un homme de patience et de persévérance. Ma mère était elle aussi une femme de passion, mais moins patiente que lui. Dans ce sens-là, ils se complétaient bien!

L'héritage de ses parents

J'ai eu le privilège de connaître votre père; je connais deux de vos frères : Pierre, producteur à Hollywood, et Charles-Philippe, spé-cialiste des questions de stratégie internationale. Vos frères et vous semblez tous trois détenir cette volonté de fer qui a permis à votre père de créer l'Institut de cardiologie de Montréal. À qui ressem-blez-vous le plus, à votre père ou à votre mère?

Je ressemble aux deux.

Vous avez pris le meilleur des deux?

J'ai probablement pris leurs défauts aussi, car je ne suis pas une sainte, même laïque! S'il y a une chose que j'aimerais que les gens sachent, c'est bien celle-là!

Je pense avoir développé, au fil des ans, la ténacité de mon père. Je crois aussi — jamais je n'aurais pensé pouvoir dire cela — avoir développé sa patience. À vingt ans, j'aurais dit tout le contraire. Mais aujourd'hui, je crois être devenue patiente, tenace et persévérante. Je suis capable de travailler à long terme. Sur ce point, je ressemble beaucoup à mon père.

De ma mère, je tiens le goût de la lecture, de la musique, ainsi que ses valeurs les plus profondes. À l'époque, et aujourd'hui encore, dans la majorité des cas, la mère était plus présente que le

Françoise et ses sœurs avec leur mère, devant l'entrée du couvent Villa-Maria

père auprès des enfants. J'ai beaucoup reçu de ma mère. J'ai aussi beaucoup reçu de mon père, mais il était forcément moins présent à la maison.

J'ai également hérité de ma mère sa grande passion, pour le meilleur et pour le pire. Parce que la passion, ce n'est pas toujours pour le meilleur!

C'est dangereux, la passion?

Oui, elle renferme des dangers, auxquels je n'ai pas toujours échappé. Au fond, la passion, c'est le goût de l'intensité. Être passionné, c'est vivre sous le coup de l'adrénaline, que ce soit en amour ou ailleurs. En amour, c'est loin d'être toujours évident! Ma mère avait assurément cette passion, ce feu que je critiquais quand j'étais jeune. En effet, cela l'amenait à être parfois plus agressive, plus cassante. J'ai compris plus tard que lorsqu'on a six enfants, chacun ayant son caractère, qu'on doit s'en occuper, les éduquer, on n'a pas toujours le temps et la force d'être patient! J'en ai pris conscience quand j'ai moi-même eu un enfant. Je me suis parfois mise en colère, comme ma mère! J'ai compris aussi que dans la colère il peut y avoir de l'indignation. Un réflexe salutaire et qui entraîne un grand potentiel d'action-réaction lorsqu'on fait face à l'injustice.

Vous êtes l'aînée des filles. Cela a-t-il créé un lien particulier avec votre mère ou votre père?

Certainement avec ma mère. Peut-être aussi un peu avec mon père. J'étais l'aînée des filles : j'avais un frère plus âgé, trois sœurs plus jeunes et un petit frère, le « petit dernier ». À l'époque, on ne demandait pas au fils aîné de donner l'exemple, d'être raisonnable, etc. Des garçons, l'on exigeait qu'ils aillent à l'école, qu'ils ne soient pas trop turbulents, qu'ils ne fassent pas trop enrager leurs petites sœurs… On ne leur demandait, à l'époque, aucune tâche ménagère. Je le dis avec le sourire, parce que j'aimerais être certaine que c'est différent aujourd'hui.

Enfant, j'étais déjà « une cheffe », mais surtout dans les sports, les activités de plein air, les jeannettes et les guides. Je n'étais pas une enfant difficile. Très tôt, ma mère m'a dit : « Tu es l'aînée des filles, tu dois montrer l'exemple, être raisonnable, etc. » J'ai été élevée plus sévèrement que mes sœurs les plus jeunes. Cela a développé en moi un très grand sens des responsabilités.

Ce n'est donc pas nécessairement dans votre rapport à votre mère que vous avez développé votre vision féministe? À moins que cela ne soit inconscient?

Ma vision féministe, non. De toute façon, j'ignorais alors jusqu'à l'existence de ce mot! Nous parlons ici des années cinquante. Le féminisme est venu beaucoup plus tard dans ma vie. Dans le rapport avec ma mère, je crois avoir développé une vision sociale.

La « cheffe » Françoise

À quel moment de votre vie avez-vous découvert que vous aviez des qualités de « cheffe »?

Je devais avoir sept ou huit ans. J'organisais des jeux dans la rue. Nous jouions aux cow-boys et aux Indiens. Je m'organisais pour être du côté des cow-boys et je piquais les *revolvers* de mes petits amis, parce que ma mère ne voulait pas que nous en ayons... Certaines petites amies de cette époque ont retrouvé ma trace grâce aux deux marches et à mon poste à la Fédération des femmes du Québec. Elles me rappelaient des choses que j'avais depuis longtemps oubliées. « Tu nous organisais! » À l'occasion du décès de mon père, j'ai aussi revu une amie de mes étés passés à Kamouraska. « Françoise, tu avais à peine dix ans, tu t'assoyais sur le toit de notre cabane en bois rond, tu nous faisais asseoir par terre... et tu nous faisais des discours! » Je ne la croyais pas. Mais il semble que c'est vrai.

Je n'ai jamais eu besoin de me dire : j'ai des qualités de leader. Je les ai développées, tout simplement. C'est peut-être là un des avantages de grandir dans une famille aisée mais, surtout, dans une famille qui encourage tous ses enfants à développer leur potentiel. J'ai eu des chances inouïes, dans la vie. Cela explique peut-être pourquoi j'ai envie, lorsque c'est possible, de redonner à d'autres ce que moi, j'ai reçu.

Avez-vous déjà eu le sentiment, au collège Villa Maria, par exemple, qu'il pouvait y avoir une sorte de favoritisme envers la fille du docteur?

Non, je ne me suis jamais sentie mise de l'avant ou favorisée, au détriment d'autres élèves. Nous obéissions toutes aux mêmes règlements. J'ai vécu la même chose dans les jeannettes, les guides.

À l'université, j'ai commencé à sentir que mes parents avaient davantage de moyens que d'autres, qu'ils étaient plus connus que d'autres. À partir de cette prise de conscience, j'ai réagi en cessant de parler de ma famille.

Pourquoi?

Je voulais qu'on m'aime et qu'on m'apprécie pour moi, pour ce que j'étais comme personne. Ce n'était pas parce que je n'aimais pas mes parents. Ma mère était décédée. J'étais proche de mon père, pendant ces années-là. Mais de là à faire étalage du fait que j'étais la fille de Paul David, eh bien, non!

C'est une réaction normale, à mon avis, pour une jeune adulte qui commence dans la vie. J'étudiais, je faisais des stages, je commençais à travailler. Je souhaitais que les gens reconnaissent ce que j'étais, m'apprécient — ou ne m'apprécient pas — en fonction de ma personne, pas en fonction de mes parents. Si par malheur on me parlait de mon père, je mettais rapidement fin à la conversation. J'étais très indépendante.

Vos parents ont eu tellement de place dans tout ce que vous venez de nous raconter! Y restait-il de la place pour que d'autres personnes aient de l'influence? Sur le plan des études, par exemple...

Bien sûr! D'autant plus que je viens de vous parler des beaux côtés... mais n'oubliez pas que j'ai été adolescente! De douze à au moins seize ans, j'ai décrété que mes parents, je n'en avais rien à foutre. Sans me révolter vraiment, mais sans dire un mot. En fait, je ne parlais plus. Au grand dam de ma mère, dont j'étais très proche auparavant.

La pire arme, à mon avis, c'est le silence.

Oui. C'était la mienne. Et quand mon fils a traversé l'adolescence, il m'a lui aussi fait le coup. J'ai alors compris combien ma mère avait dû souffrir.

Pourquoi est-ce que je me révoltais? Même pas parce que mes parents étaient bourgeois et que je ne voulais pas qu'ils le soient. Ce n'était rien d'aussi réfléchi. C'était tout simplement parce qu'ils étaient des parents, parce que les parents imposent des contraintes et des règlements. Je n'en voulais pas; je voulais vivre ma vie, penser à mes affaires. Et puis, à mes yeux, mes parents étaient vieux — ils avaient quarante ans… J'étais donc une adolescente typique, pas délinquante, mais je n'en pensais pas moins. Je gardais tout cela en dedans.

Pendant mon adolescence, mes parents ne sont donc pas les personnes qui m'ont le plus influencée. Certains professeurs et des amies m'ont marquée.

Avez-vous rencontré des gens qui vous ont donné le goût de faire des choses différentes?

Je me souviens en particulier de mon professeur de français, en ce qui serait aujourd'hui la IIe année du secondaire, une des seules laïques de l'école. D'origine bretonne, mademoiselle Dufleis était haute comme trois pommes mais très déterminée! Elle m'a fait découvrir l'écriture et un penchant pour la poésie. Cela n'a pas fait de moi une artiste… mais j'ai découvert le plaisir d'écrire.

Un souvenir est resté marquant dans ma vie. Je suis en IIe secondaire. Pour la première fois, elle nous fait écrire une composition à partir d'une simple phrase. Nous sortons enfin des schémas imposés. La phrase en question était : « Une odeur de cèdre envahit la pièce. » Ce jour-là, je rentre chez moi et je me laisse aller à écrire. J'écris une histoire d'amour… comme peut en imaginer une jeune fille de treize ou quatorze ans.

Une fois les compositions corrigées, mademoiselle Dufleis les distribue en classe. Elle les remet toutes, sauf une. La mienne. Je me sens défaillir. « Je voudrais vous lire une composition. » Après la lecture de mon texte, la classe se met à applaudir. Ce moment-

Françoise David
18/11/62

Composition française

Une odeur de cèdre envahit la pièce. La porte grande ouverte le laissa entrer, apportant avec lui la bonne odeur des cèdres qui entourent la maison. Assise près du foyer je le regardais enlever son manteau et prendre un siège auprès de moi, sans prononcer une seule parole. Dehors, le vent giflait les arbres et la neige tombait lentement sur le sol durci.

Dans la cheminée, le feu nous éclairait de sa flamme vive. Je n'osai plus lever les yeux. Un silence angoissant s'installa chez nous, comme chez lui. Mon cœur battait au rythme d'un tango et dans ma tête, tourbillonnaient les pensées les plus confuses. J'avais peur, peur de ce silence, peur de ses yeux, peur de ce qui allait suivre. Mais pourquoi ne parlait-il pas? Je respirais à petits coups. J'entendais des cognements sourds dans ma poitrine; cela ne suffisait pas à rompre le lourd silence établi en maître. Je croisais et décroisais mes doigts; la lueur chaude du foyer semblait se moquer de moi, si compliquée. Elle inspirait tendresse et réconfort. Tout mon être se tendit vers elle; quittant mon fauteuil, je m'assis par terre encore plus près de la cheminée. J'avais besoin d'une présence. Je sentis un grand calme m'envahir; mon cœur, mon esprit s'endormirent pour quelques minutes. Je ne pensais plus à rien. La veille, j'avais assisté à un concert et maintenant la musique apaisante de Beethoven renaissait en moi. Intérieurement, je murmurais les pa-roles de « l'Hymne à la joie ».

Soudain : « Alors, Françoise, ça va?... » Je sursautai, me ressaisis rapidement et répondis par un haussement d'épaules significatif... Il n'ajouta rien. J'aurais tant voulu qu'il parle encore. De nouveau, un grand trouble pénétrait mon âme, mes sens. J'hésitais à m'ouvrir à lui, à lui crier ce que je ressentais. Et d'ailleurs, comment aurais-je pu?...

J'avais une envie folle de m'enfuir, de courir à travers les bois enneigés qui m'auraient accueillie comme une sœur. Je comprenais si bien la souffrance de ces géants écrasés sous une immense cape blanche : de leur stature droite et fière, il ne restait rien. Et moi, écrasée par un silence de plus en plus intense, je n'osais plus bouger, parler et rire. J'aurais tant aimé patiner sur un lac glacé. Tourbillonnant comme une elfe légère, vide de pensées et d'amour... Cet amour que je refusais de témoigner depuis des mois me pesait maintenant.

Brusquement, je me levai et courus vers la porte. Mais il me rejoignit, mit une main sur la poignée et l'autre sur mon épaule. Je tremblais de tous mes membres, je ne voulais pas affronter son regard. Mon cœur battait à se rompre. De la main, il m'obligea à lever la tête, puis tout simplement : « Je t'aime », me dit-il. Alors, j'ai cru défaillir; des larmes de bonheur emplirent mes prunelles. Je voguais sur une mer calme et limpide, je me laissais bercer au gré des vagues, dans ses bras.

Il ouvrit la porte et ma main dans la sienne, nous avons regardé le ciel bleu, les flocons de neige et les arbres. À nouveau, une odeur de cèdre envahit la pièce...

là a été un des événements marquants de ma vie. D'abord parce que j'étais très excitée, très flattée… Qui ne l'aurait pas été! Mais surtout parce que mon professeur venait de m'autoriser à écrire tout ce que je voulais, à développer mon sens de l'écriture. Par la suite, je me suis mise à écrire. Je lui soumettais tout ce que j'écrivais et elle m'encourageait toujours.

Françoise adolescente

J'ai toujours aimé la littérature. J'ai commencé à lire à six ans et demi et je suis tombée dans la lecture comme d'autres enfants tombent aujourd'hui dans les jeux vidéos. Pendant mon cours primaire, je lisais un livre par jour. Nous allions à la bibliothèque pour emprunter des livres. À l'école, on me disait : « Ça ne se peut pas, vous ne les lisez pas! » Cela m'insultait, car je lisais tous mes livres de la première à la dernière page. J'adorais la lecture. Avec mademoiselle Dufleis, je suis passée de la lecture à la littérature.

Une autre personne a influencé mon adolescence : une professeure de français, au collégial, sœur Marie-Emmanuel. Avec elle, j'avais non seulement des conversations littéraires, mais aussi des conversations tout court.

Et puis j'ai eu de grandes amies, au collège. Avec elles, je discutais politique, changements sociaux, peinture, littérature. Nous étions impliquées dans le journal du collège, nous organisions des carnavals, des soirées culturelles. Nous étions quatre, quatre passionnées qui remettaient tout en question. C'était en 1964, et le Québec bougeait fort, rappelez-vous! Nous avions alors nos premiers *chums*, nous faisions l'amour en cachette de nos parents, nous désertions l'église…

Je continuais d'écrire beaucoup, des poèmes, des textes, mon journal intime…

Vous avez été tentée par des études en littérature?

J'ai effectivement hésité entre littérature et service social.

Qu'est-ce qui vous attirait en littérature? Vous aviez cette capacité d'écrire, le goût de la lecture. Si vous aviez choisi la littérature…

… je me serais ennuyée! Lorsqu'on se dirige en littérature, on n'a pas des débouchés très nombreux : ou bien on enseigne, ou bien on écrit, ou bien on fait les deux. J'ai compris que pour moi, lire était un plaisir et je souhaitais que cela le demeure, bien simplement. Se pencher sur un livre, le décortiquer, l'analyser en fonction de l'époque, de la sociologie, mais aussi d'un point de vue proprement littéraire… Cela a tendance à m'ennuyer! J'aime ouvrir un livre et simplement le lire, me laisser envoûter. J'ai rapidement compris que la littérature, ce n'était pas ma vocation.

Vous avez grandi dans une famille financièrement à l'aise, instruite, mais qui invite chacun des enfants à développer ses propres talents. Considérez-vous cela comme le plus grand privilège que vous ayez eu? Cela est évidemment plus difficile à vivre dans une famille pauvre, parce que les préoccupations sont ailleurs!

En effet, dans un milieu pauvre, il faut d'abord commencer par survivre. Je sais bien que même dans des familles pauvres, des parents se privent pour encourager les enfants à aller à l'école le plus longtemps possible. Mais cela n'est pas facile. Ils font face à des contraintes économiques et aussi culturelles. Une personne qui est toujours exclue de la société a de la difficulté à avoir confiance en elle et à croire qu'elle pourra aller à l'université. C'est si loin de son univers!

Dans une famille riche, les études supérieures vont de soi. Mais je ne voudrais pas généraliser. Je rencontre aujourd'hui des gens, venant de familles aisées, qui me disent n'avoir absolument pas été encouragés par leurs parents à développer leur propre potentiel. Il leur fallait suivre les traces des parents. Dans ma famille, en revanche, la situation était différente. Je ne dis pas cependant que chacun des enfants, dans son individualité, était aussi bien accepté et encouragé par nos parents. Lorsqu'on sort un peu trop du cadre, les parents peuvent parfois avoir de la difficulté à l'accepter... Mais sur le fond, il n'y avait pas vraiment d'obstacle au développement de chacun des enfants.

Les filles et les garçons David

Si on se rapporte au temps de votre adolescence, aviez-vous le sentiment que les hommes avaient une place privilégiée dans le regard de votre mère et dans votre propre regard?

Adolescente, je ne pense pas que je me sois posé ce genre de question. De façon beaucoup plus prosaïque, je dirais que ce qui m'a le plus énervée, c'était de voir que la seule tâche de mes frères consistait à sortir la poubelle deux fois par semaine, alors que nous, les filles, devions faire la vaisselle tous les jours! C'est très concret. Ce n'est que beaucoup plus tard que je me suis demandé : « Est-ce que tout cela est normal? »

Nous, les filles, devions faire notre lit, maintenir notre chambre en ordre, etc., mais pas nos frères. Cela dit, comme femmes, mes sœurs et moi avons été privilégiées dans le contexte de l'époque.

À Kamouraska. De gauche à droite : Françoise,
Hélène, Anne-Marie, Thérèse. À l'arrière : Pierre

Tout en visant à faire de nous de bonnes maîtresses de maison, nos parents nous encourageaient très fortement à étudier pour pouvoir exercer une profession. Jamais je n'ai senti, dans ma famille, de différence entre les filles et les garçons sur le plan des études et du travail. C'est assez fondamental. Résultat : il y a les enfants David que vous connaissez, les garçons. Je peux vous parler des trois autres. Thérèse est vice-présidente communications à TQS. Anne-Marie est professeure en travail social au Cégep du Vieux-Montréal, coordonnatrice de stages, longtemps coordonnatrice de son département et militante en condition féminine. Hélène est psychologue et maintenant rectrice adjointe à la faculté de psychologie de l'Université de Montréal. Nous avons toutes eu la chance de faire des études, d'aller vers des métiers qui nous attiraient, sans restrictions. Nous nous sommes dirigées vers des professions plutôt féminines. Mais aujourd'hui encore, toutes les femmes ne se destinent pas à être ingénieures ou monteuses de lignes à Hydro-Québec… Il existe, en 2003, des « ghettos » féminins et masculins. Si on se replace dans le contexte de l'époque, il n'est pas étonnant qu'il y ait chez nous deux travailleuses sociales et une psychologue. Thérèse, elle, s'est dirigée vers un métier nouveau à l'époque, les communications.

Les deuils

Les femmes de votre vie vous ont donc marquée, autant que les hommes. Votre mère est morte très jeune; vous aviez à peine plus de vingt ans.

Elle est décédée en 1969, je venais d'avoir vingt et un ans.

Avez-vous pensé, à ce moment-là, que cette mort était injuste?

Évidemment! Peut-on penser autre chose, à vingt et un ans? Ma mère était dans la cinquantaine. J'ai aujourd'hui cinquante-cinq ans et je ne suis pas prête à mourir; je trouve que la vie vaut la peine d'être vécue. Déjà à cet âge-là, je n'étais plus croyante. Ainsi, quand ma mère est morte, je ne pouvais pas me dire : « Elle est au ciel, elle me regarde de là-haut… » ou ce que les croyants peuvent penser. Je ne pouvais pas considérer que nous aurions désormais un autre type de lien privilégié. Pour moi, c'était fini. Bien sûr, cela a été difficile à vivre. D'autant que le cancer qui l'a emportée a été foudroyant, elle a été vraiment malade pendant trois mois puis elle est morte.

En même temps, j'ai vécu encore plus durement la perte de mon père, il y a trois ans. C'est curieux! Peut-être parce que je suis beaucoup plus âgée et que ce décès m'a replacée devant ma fragilité, ma propre vulnérabilité, commune à toutes les personnes dans la cinquantaine, qui savent bien qu'il en reste moins long devant qu'il n'y en a derrière. À vingt et un ans, la mort d'une mère est tragique. Mais, dans mon cas, je m'en suis sortie. Pourquoi? Parce que la vie est plus forte. Et parce qu'être jeune, c'est vivre parfois avec une part d'inconscience devant le malheur, la maladie, la mort. Surtout si, comme moi, on a la chance d'avoir une enfance et une jeunesse heureuses, où la vie était remplie de promesses.

Votre père a été cloué à un fauteuil pendant plusieurs années. On peut presque considérer sa mort, survenue en 1999, comme une délivrance... Y a-t-il un lien à faire avec le fait que vous ayez vécu plus difficilement son décès?

Je ne crois pas. Mon père ne voulait pas mourir, il n'avait aucun appétit pour la mort. Dans les derniers mois, il est vrai, nous l'avons vu dépérir peu à peu, manger moins, être un peu plus déprimé. Il avait signifié à mon frère aîné — même s'il avait perdu l'usage de la parole, nous le comprenions très bien — qu'il souhaitait mettre ses affaires en ordre. Nous nous sommes dit alors : « Il se sent partir. » En fonction de ces tout derniers mois, peut-être pouvons-nous parler de délivrance. Mais pas si on considère les six années suivant son ACV. Je ne dis pas que c'était rose tous les jours, loin de là! Mais, même privé de la parole, mon père a continué de vivre des moments heureux. J'ai eu beaucoup de peine en le perdant. Je me suis sentie ébranlée, fragile, durant plusieurs semaines. Mais la vie continue, n'est-ce pas?

Promesse de louveteaux d'Étienne avec son grand-père, le père de Françoise

C'était un homme qui aimait convaincre, qui appréciait les rencontres, les rapports humains.

Oui. Il était privé de la parole et de l'usage de sa jambe et de son bras droits. Les premiers mois ont été extrêmement pénibles, mais il a vécu une embellie de plusieurs années. Bien sûr, mon père vivait des moments de déprime, il a dû être hospitalisé à quelques reprises. À travers tout cela, et à ma grande surprise, je peux affirmer qu'il a connu des moments de joie. Grâce surtout à son épouse, Yvette Lemire, qui a été un ange d'amour et de fidélité à son endroit. Il aimait aussi recevoir ses petits-enfants, nous pouvions le faire rire ou prendre plaisir à regarder un beau film ensemble. Je lui racontais les sagas de ma vie professionnelle — à l'époque, j'étais présidente de la FFQ. Quelques semaines après le sommet économique de 1996, qui avait été très pénible pour moi, je suis allée lui raconter tout ce que j'avais vécu… en faisant presque un spectacle d'humour! Je lui racontais tout ce que je vivais. Parfois, quand je ne savais pas trop comment agir, je lui demandais conseil. Il ne pouvait pas parler, mais faisait des signes pour dire « oui », « non », « je ne sais pas ». Nous arrivions à nous comprendre et cela a été pour moi une expérience humaine irremplaçable. Je crois que nous n'avons jamais été aussi proches. Mon père exprimait beaucoup ses émotions et nous avions des moments de complicité très touchants. J'ai eu beaucoup de peine en le perdant. Je me suis sentie ébranlée, fragile, durant plusieurs semaines. Mais la vie continue, n'est-ce pas?

Un séjour au Rwanda

Revenons à votre jeunesse. Lorsque votre mère est décédée, vous étiez au Rwanda. Cela est assez étonnant! À l'époque, c'étaient les missionnaires qui partaient. Y avait-il quelque chose de missionnaire dans ce désir d'aller servir au Rwanda?

Certaines personnes me disaient : « Vous êtes une missionnaire laïque. » Je répondais : « Non! » Lorsqu'on est jeune, on prend des décisions qui nous paraissent tellement naturelles qu'on ne les questione pas. Mon frère avait passé deux ans au Rwanda après son baccalauréat au collège Stanislas. Entre les deux années, il est venu passer l'été au Québec. Ayant observé un manque cruel d'argent dans les écoles rwandaises, il a « embauché » mon grand-père Maillard, à la retraite depuis longtemps, et a fait le tour d'un certain nombre de diocèses du Québec pour recueillir des fonds.

De retour au Québec, mon frère nous a raconté son expérience. Je trouvais cela fascinant. Moi qui avais déjà le goût des voyages! À table, mes parents et mon grand-père discutaient souvent de politique. Je me rappelle certains débats épiques sur l'indépendance de l'Algérie. Vers seize ou dix-sept ans, j'ai commencé à lire les journaux, *Le Devoir*, entre autres. Je commençais à m'ouvrir au monde. Si mon frère était allé au Rwanda, pourquoi n'irais-je pas, moi aussi? C'est aussi simple que cela. J'ai « enrôlé » une de mes amies et nous sommes parties toutes les deux pour un an, avec l'appui d'un évêque rwandais du nord du pays, à Gisenyi. Ma copine et moi vivions dans deux villages différents. Je travaillais beaucoup plus en brousse, dans une école secondaire. Je remplaçais le professeur d'anglais qui enseignait également la géographie de l'Afrique! Je ne connaissais rien à la géographie africaine… et l'anglais, ce n'était pas « ma tasse de thé »! J'en savais tout juste un peu plus que mes élèves, qui avaient entre douze et dix-huit ans. J'en avais vingt… Incroyable, non? Comme les élèves étaient toutes pensionnaires, j'organisais aussi des activités parascolaires : journal d'école, pièces de théâtre, etc.

Je n'ai pas pu compléter mon année au Rwanda. Début janvier 1969, j'ai reçu une lettre de mon père. Il m'annonçait que ma mère était gravement malade, qu'elle n'en avait que pour trois mois à vivre. Quarante-huit heures plus tard, j'étais de retour chez moi.

Quel était votre but en partant pour l'Afrique?

Je voulais connaître des gens différents, découvrir le monde, une autre culture et, bien sûr, être utile.

Avez-vous ressenti, pendant votre séjour au Rwanda, les limites de l'aide internationale?

Je n'en ai pas pris conscience sur le coup. J'étais trop jeune. J'étais très consciencieuse et je préparais mes cours du mieux que je pouvais. Je crois avoir bien donné ce qu'on attendait de moi. J'ai très rapidement appris la géographie de l'Afrique… Je n'ai pas réalisé ce que cela avait d'absurde. Aujourd'hui, c'est le genre de choses que je n'accepterais certainement pas!

J'ai quand même compris qu'au Rwanda je recevais plus que je donnais. J'apprenais que les gens de diverses cultures sont à la fois semblables et différents. J'apprenais aussi l'autonomie, la débrouillardise. Je n'avais plus envie de revenir chez mes parents, toute au bonheur d'être enfin libre! Il y a toutefois un aspect de l'attitude des gens qui m'a dérangée. Parmi les professeures, habituellement belges, donc blanches, certaines étaient franchement paternalistes à l'égard des jeunes élèves rwandaises. C'était à la limite du racisme. Je pouvais déjà le sentir sans arriver à tout expliquer, sans faire de grandes analyses. Je savais simplement que leur attitude me déplaisait.

Vous avez déjà affirmé qu'une « bonne », chez vous, n'était pas une « bonne », au sens où on l'entendait dans les divisions sociales. Est-ce de là que vous tenez cette capacité de percevoir le racisme?

Entre autres. Chez nous, le mot « bonne » était effectivement interdit, ma mère ayant décrété que ce mot contenait trop de condescendance. Je lui donne entièrement raison. Une fois, elle m'avait même disputée parce que, très jeune, j'avais dit à une de mes amies au téléphone : « La bonne va faire ça… » J'y avais goûté!

D'autre part, mon père accueillait régulièrement à l'Institut de cardiologie des résidents étrangers, entre autres d'Haïti. Cela aussi m'a marquée. Mon père, qui parfois avait des analyses que j'ai plus tard qualifiées d'un peu courtes sur certaines situations internationales, possédait une ouverture sur le monde peu commune dans le Québec de l'époque. Il m'avait raconté une expérience vécue en Haïti, à l'occasion d'un congrès. Un médecin lui avait dit un jour : « J'aimerais vous parler, mais allons ailleurs. » Celui-ci l'avait conduit loin dans la campagne pour lui présenter la situation réelle de son pays, les difficultés causées par la dictature de

Duvalier, etc. Mon père était revenu très ébranlé de ce voyage. Il me racontait tout cela, j'étais abreuvée de ces expériences.

Ainsi, pour moi, aller en Afrique était tout à fait normal. J'étais pleine d'ignorance, certes, mais j'étais prête à apprendre! Je n'allais pas « aider des gens incapables de faire quoi que ce soit par eux-mêmes ». J'allais simplement passer quelques mois à essayer de donner un petit coup de main, dans les limites de mes capacités.

C'est curieux, ma courte expérience malienne en 2001 a été vécue un peu de la même façon, avec respect et bonheur. J'étais toutefois plus lucide et mieux instruite des inégalités mondiales entre pays riches et pays pauvres.

Marche mondiale des femmes, octobre 2000

2

Les pauvres d'abord

Dans le Québec aisé des années soixante, on ne sera plus médecin ou avocat de père en fils et ménagère de mère en fille. Les « David » n'échappent pas au grand bouleversement social de ce qu'on appellera, plus tard, la Révolution tranquille. Aucun des cinq enfants de la famille ne choisira la voie royale et traditionnelle du droit ou de la médecine, ni les garçons et encore moins les filles. Cinéma, travail social, psychologie, politique étrangère, communication, les enfants de la famille ont pris le virage de la modernité. Françoise aussi. Et elle choisit son camp.

Le service social : un choix très clair

Jusqu'à votre génération, les grandes figures de la famille David avaient été des avocats et un médecin. Parmi vos frères et sœurs, personne n'a choisi d'étudier le droit ou la médecine.

Non. Il n'a jamais vraiment été question de droit, chez nous. Évidemment, mon père aurait bien souhaité qu'un de ses enfants devienne médecin. Il avait, pendant un certain temps, fondé quelques espoirs sur Hélène... qui est devenue psychologue, ce que papa a bien accepté. Lui-même avait choisi la médecine plutôt que le droit, au grand déplaisir de son propre père.

Avez-vous un jour été tentée par la médecine?

Oui. Pas parce que mon père était médecin, mais parce que je trouvais que soigner les gens était un très beau métier. Cette option est toutefois rapidement disparue de mon univers, parce que je n'ai aucun talent pour les mathématiques et les sciences. Plus les années scolaires passaient, moins je réussissais.

Ce fut donc le service social...

J'étais attirée par le service social. Peu de temps avant que je commence mes études, un nouveau secteur a été développé : l'organisation communautaire. Cela m'a vraiment convaincue que je faisais le bon choix. J'avais déjà de nombreuses expériences — jeannettes, guides, rédactrice en chef du journal du collège, directrice d'un camp de vacances, etc. — qui me démontraient que j'avais la capacité de travailler avec des groupes, sur le terrain. Cela me plaisait encore plus que le service social plus traditionnel consistant à travailler avec une famille, une personne. Le communautaire, j'avais l'impression que c'était fait pour moi.

Ma mère m'encourageait fortement à poursuivre dans cette voie. Elle avait probablement vu que j'avais les dispositions nécessaires. De plus, cela correspondait à ses valeurs sociales.

Une expérience a été déterminante dans mon choix. À mon retour du Rwanda, pendant la maladie de ma mère, je ne voulais pas demeurer inactive. Une de mes amies travaillait à contrat pour l'Agence de service social Saint-Henri. Je lui ai demandé si, par hasard, ils n'auraient pas besoin d'une employée à temps partiel. Effectivement, on m'a proposé un contrat de deux heures par jour, tous les matins. C'était parfait pour moi; je travaillais le matin et j'allais visiter ma mère l'après-midi. Je m'occupais d'enfants qui, venant de familles dysfonctionnelles, très pauvres, avaient de la difficulté à entrer directement dans le système scolaire en maternelle. J'organisais des activités de socialisation pour une quinzaine d'enfants de trois et quatre ans.

J'ai occupé ce poste pendant six mois. Cela m'a permis de faire la connaissance d'Andrée, une travailleuse sociale — qui est par la suite devenue une amie — de formation clinique mais très portée vers l'action communautaire. C'est elle qui m'a fait découvrir cet aspect du travail social.

Après le décès de votre mère, l'aînée des filles a pris la relève... Avez-vous senti que vous aviez, en tant que fille aînée, une responsabilité envers vos frères et sœurs?

En partie seulement. Sur ce point, mon père a été extraordinaire. Il m'a fait venir dans son bureau et m'a dit : « Ma fille, il n'est pas question que tu te mettes à t'occuper de la famille en abandonnant l'idée de faire des études. Nous allons nous organiser. » Pas mal, pour l'époque! D'ailleurs, je ne suis pas certaine que j'aurais accepté d'abandonner les études.

De plus, soyons honnêtes. Nous avions de l'aide à la maison, nous en avions les moyens. Nous avons donc bénéficié de l'aide extrêmement précieuse de personnes avec lesquelles nous avons encore aujourd'hui conservé des liens, des personnes que nous aimons beaucoup et qui font partie de la famille. Je pense en particulier à une femme qui, bien sûr, n'a pas remplacé notre mère, mais à qui les plus jeunes se confiaient souvent. Je n'ai donc pas dû subir le poids énorme des tâches domestiques, en particulier pendant la semaine. J'en avais plus à faire les fins de semaine, mais cela m'apparaissait normal.

Cet été-là, j'ai obtenu un emploi dans le cadre d'un projet « Perspective-jeunesse », mon premier emploi d'organisatrice communautaire… avant même d'en avoir la formation. Avec Andrée, nous avons travaillé à faire le lien entre la Ville de Montréal, qui organisait les loisirs dans les parcs, et les enfants du quartier, qui étaient réticents à se rendre au parc. Nous avons eu beaucoup de plaisir. J'ai aussi mené là ma première petite lutte sociale qui a consisté à mettre sur pied un comité de citoyens d'un secteur du quartier Saint-Henri. Dans le petit parc de ce secteur, on avait dénombré un grand nombre d'accidents; nous demandions que la Ville y place un gardien. Et nous avons gagné. J'ai fait du porte à porte dans tout le secteur, j'ai animé des réunions de citoyens et de citoyennes. Un jour, j'étais en route pour Saint-Henri — je m'en souviens comme si c'était hier —, je me suis dit : « Comme j'aime ce travail! Si ce métier n'existait pas, il faudrait que je l'invente, parce que c'est le seul que je veux faire. »

Voilà comment j'ai commencé à travailler dans le domaine du service social. Par la suite, j'ai entrepris mes études universitaires… que j'ai trouvées nettement moins excitantes que le travail sur le terrain. C'était toutefois le passage obligé pour obtenir un diplôme; je les ai donc complétées.

Un choix bien enraciné

Vous aviez déjà à votre actif l'expérience des jeannettes et des guides, le leadership que vous y aviez développé…

Il est vrai que j'avais été cheftaine guide!

C'est sérieux!

Effectivement! L'été, je partais avec une trentaine de jeunes filles et nous allions camper. Je devais organiser tout le programme du camp, etc. J'avais dix-sept ans.

Cette expérience-là est encore plus forte que les cours universitaires… Mais que saviez-vous, à vingt, vingt et un ans? Vous vous retrouviez à Saint-Henri, quartier ouvrier très pauvre de Montréal.

Ce que je savais, je l'avais appris, entre autres, grâce à ma mère. Adolescente, elle m'avait « conscrite » pour aller, un samedi sur deux, avec une de mes amies, faire deux ou trois heures de ménage et de travaux domestiques dans une famille pauvre aidée par les sœurs du Bon Conseil du Plateau Mont-Royal.

À quatorze ans, sans formation, je ne pouvais pas vraiment aider madame Unetelle qui était aux prises avec d'innombrables problèmes. Tout ce que je pouvais faire, parce qu'elle était submergée, pauvre, seule et mère de plusieurs enfants, c'était de contribuer à des tâches comme le ménage, le lavage, la vaisselle. C'était franchement très modeste comme contribution. Je comprends toutefois l'intention de ma mère : elle souhaitait me faire découvrir ce qu'est la pauvreté.

Par la suite, je suis devenue monitrice, puis directrice d'un séjour à la colonie de vacances du Sacré-Cœur, où nous recevions des filles de milieux très défavorisés. Des enfants en besoin de défis, d'affection, de valorisation. Des timides et des « tough », que j'aimais bien, d'ailleurs.

Bien sûr, l'expérience qui m'a le plus fait découvrir le monde de la pauvreté, c'est mon engagement à Saint-Henri. Au début, je n'y habitais pas, mais j'y passais cinq jours par semaine, du matin au soir. Je travaillais non pas dans un bureau mais dans un tout petit local, une ancienne cordonnerie, dans une rue très passante. Au bout de quelques mois, je connaissais plusieurs personnes du quartier. Je faisais du porte à porte, j'allais chez les gens, j'échangeais avec eux. Je mangeais au petit restaurant du coin. C'était une véritable immersion. Je savais d'où je venais… bien entendu, je ne faisais pas exprès pour le dire! Mais je n'ai pas vécu de grand choc culturel.

C'est le monde de la pauvreté qui, en quelque sorte, vous a intégrée.

Jusqu'à un certain point, oui. Le monde de la pauvreté, c'est d'abord et avant tout un monde où les gens font tout ce qu'ils peuvent pour s'en sortir et s'entraider. J'ai beaucoup aimé, pendant mon premier été dans le quartier Saint-Henri, pouvoir regrouper des gens. J'ai aimé me rendre dans les maisons du quartier, prendre un café et échanger avec eux. Je trouvais qu'ils avaient bien des choses à dire. Je voyais bien sûr qu'ils étaient privés de ressources économiques, mais je ne les considérais pas comme des « démunis ». Pour être honnête, j'ai horreur de ce mot. Il donne, à mon avis, une image de gens qui non seulement n'ont rien matériellement, mais qui sont privés de toute autre ressource. Or, c'est tout le contraire. J'ai rencontré des gens pleins d'humour, d'une grande simplicité. J'avais du plaisir avec eux.

Aujourd'hui, j'arrive à me sentir à l'aise dans plusieurs milieux… parce que tout au long de ma vie, j'ai évolué dans des milieux très différents. Adolescente et jeune femme, je n'étais pas à l'aise dans le milieu riche. Moins pour des raisons idéologiques que pour des raisons de relations humaines. Je n'aime pas les rapports empruntés. Je n'aime toujours pas la superficialité et l'arrogance de beaucoup de gens riches. Ils vivent souvent dans une bulle et leur indifférence envers autrui m'exaspère. Je n'aime pas non plus me sentir obligée de me vêtir de telle façon parce que je fréquente tel milieu… Je ne suis pas très BCBG (bon chic, bon genre), tailleur ou robe du soir.

Cela ressemble à la jeune Françoise. Adolescente, je n'étais pas très féminine. Pas par féminisme, tout simplement parce que j'étais un peu gauche. J'aimais les arbres, le canot, la bicyclette. J'étais à l'aise en plein air.

Autrement dit, l'allure de Françoise David aujourd'hui n'est pas une allure empruntée, du fait qu'elle a côtoyé le monde de la pauvreté.

Bien sûr, j'ai appris avec le temps qu'il y a des façons de s'habiller dans certaines occasions. Je ne me rendrai pas à une entrevue pour la télévision en *jean* et *t-shirt*. Je suis tout à fait à l'aise avec cela, c'est aussi une marque de respect pour les gens. Ce qui m'horripile, c'est le côté emprunté, parfois un peu hypocrite, des conventions sociales.

À Saint-Henri, je découvrais un monde bien différent de celui que je connaissais. Je ne veux pas nier les difficultés des gens, j'en étais très consciente. Peut-être moins qu'aujourd'hui, toutefois; j'étais jeune, il ne faut pas l'oublier… Jeune, remplie d'optimisme. Mais j'avais déjà une réflexion politique. Et je voyais bien les petits logements, les vêtements étendus pour sécher à l'intérieur. Certaines maisons n'avaient encore ni douche ni eau chaude! J'étais toutefois à l'aise dans ce milieu de pauvreté.

Les gens étaient-ils à l'aise avec vous?

Oui. À vingt-deux ans, je n'étais pas menaçante. De plus, très peu savaient d'où je venais. Je n'en faisais pas l'annonce...

Et quand ils le découvraient?

Je n'ai jamais senti de changement quand les gens l'apprenaient. Les citoyens que je regroupais étaient plus âgés que moi, ils avaient déjà des enfants. Pour eux, la jeune fille de vingt-deux ans était sympathique et... un peu naïve! Quand ils découvraient que j'avais grandi à Outremont, ils me connaissaient déjà. C'est ce que je voulais. Je savais bien qu'un jour ou l'autre les gens découvriraient mes origines, mais je souhaitais qu'ils aient d'abord la chance de me connaître.

Travailleuse sociale : quartier Centre-Sud

En 1972, vous avez commencé à travailler à l'agence des services sociaux Centre-Sud avec des religieuses.

Oui, avec Rachel Vinet, sœur du Bon Conseil, directrice de l'agence Centre-Sud, une femme formidable. Elle m'a accueillie avec beaucoup de générosité... Déjà à cette époque, j'étais devenue contestataire. Il y avait eu la crise d'Octobre. Je n'étais pas felquiste, mais j'étais d'accord avec le manifeste du FLQ, sans toutefois approuver l'assassinat de Pierre Laporte. Et je n'étais pas la seule. Reportons-nous en 1970. N'y a-t-il pas bien des gens qui, en écoutant la lecture de ce manifeste à la télévision, ont eu le sentiment qu'il mettait des mots sur ce que nous ressentions? Moi, j'en faisais partie.

Par la suite, vinrent le front commun de 1972, les publications des centrales syndicales : *L'État, rouage de notre exploitation*, de la

FTQ; *Ne comptons que sur nos propres moyens*, de la CSN. J'avais lu tout cela.

Mon *chum* de l'époque commençait à s'impliquer dans les co-mités d'action politique (CAP), en particulier le CAP Maison-neuve. J'avais terminé mes études en service social. Je faisais avec lui des pas vers une vision plus politique de la pauvreté. Je com-mençais à comprendre que personne ne semblait vouloir faire quoi que ce soit pour lutter vraiment contre ce grand problème social. Ou uniquement des petits gestes de temps en temps, mais pour moi ce n'était pas suffisant. J'en étais arrivée à la conclu-sion : « Il faut que ça bouge! »

Autrement dit, vous alliez au-delà de l'affirmation qu'une personne est pauvre parce qu'elle est responsable de sa pauvreté.

Je n'y ai jamais cru! Au collège, j'étais rédactrice en chef du journal *Parole*. Je me souviens d'avoir signé un éditorial dans le-quel j'affirmais : « Les bourgeois doivent partager davantage leur richesse. »

Une fois, je suis tombée sur le *Manifeste du Parti communiste* dans la bibliothèque de mon frère, étudiant à Stanislas. Je ne connais-sais ni Marx ni le Parti communiste. J'ai lu le manifeste de la première à la dernière page. J'ai trouvé intéressant ce que ce Marx affirmait, même si je ne connaissais rien au socialisme. Je devais avoir dix-sept ou dix-huit ans. Plus tard, vers 1972–1973, quand je suis entrée moi aussi au CAP Maisonneuve, j'ai entrepris mon éducation marxiste. Je n'ai pas lu *Das Kapital*, mais quelques écrits de Lénine et de Mao. Je trouvais cela assez compliqué, pas telle-ment emballant, à vrai dire.

Ce qui m'intéressait, c'était le travail sur le terrain, avec les gens. C'est comme ça que je voulais faire mon éducation politique… Mais ce qui m'a conduite au marxisme-léninisme, c'est la prise de conscience que les partis politiques, même le Parti québécois, ne semblaient pas vouloir changer l'ordre des choses.

J'ai donc travaillé cinq ans dans le Centre-Sud (de 1972 à 1977), au sein de l'agence qui deviendra plus tard une partie du Centre des services sociaux de Montréal. J'ai eu beaucoup de plaisir pendant ces années-là. J'agissais à titre d'organisatrice communautaire. Au fond, on me payait pour organiser la mobilisation des groupes dans le quartier. N'est-ce pas génial ? Les temps ont changé depuis… Pendant ces années, sur trente travailleurs et travailleuses à l'agence, il y a eu six organisateurs communautaires. C'était vraiment la belle époque !

Au début, on m'a engagée pour mettre sur pied un CLSC dans le quartier. Au bout d'un an, on a modifié mon affectation. J'en ai été très heureuse. J'ai proposé de former un regroupement appelé Centre de rencontres et d'informations Centre-Sud. Je me suis associée à quatre amies que je trouvais géniales, les faisant embaucher par l'Agence ou trouvant du financement pour les payer. Nos objectifs : unir les groupes du quartier, offrir de la formation, publier un journal de quartier, travailler à l'intérieur de certains groupes pour aider à leur renforcement, soutenir les luttes ouvrières et populaires du quartier, etc. Nous avons fait tout cela durant quatre ans et avons participé à des dizaines de mobilisations populaires et ouvrières.

Nous voilà bien loin d'une structure rigide dans les services sociaux !

Rien de tout cela n'existait encore à cette époque. Rachel Vinet était présente pendant les deux premières années ; elle a quitté par la suite. Rachel aimait bien la jeune contestataire que j'étais. Heureusement qu'elle était directrice, parce que sans elle, je crois bien qu'on m'aurait congédiée ! Je participais à des manifestations. Il m'arrivait même de dénoncer les services sociaux et leur paternalisme… Un jour, Rachel m'a convoquée à son bureau, essayant de me faire comprendre que je devais tout de même respecter mes collègues ! Mais elle m'a laissée travailler dans le quartier avec une grande liberté. Résultat inévitable, mes amies et moi, nous nous sommes politisées de plus en plus. Cela faisait partie de l'époque…

Diriez-vous qu'en institutionnant les services sociaux on a renoncé à une liberté d'action et qu'on y a perdu au change ?

De mon point de vue, oui. Je ne suis pas, en général, une personne nostalgique. J'ai cependant une certaine nostalgie de services sociaux beaucoup plus près des gens, des quartiers, des familles. Cela dit, il se fait aujourd'hui du très bon travail dans les services sociaux. Je pense également que l'organisation est devenue très grosse, avec des besoins qui ont également grandi. Serait-il encore possible de travailler comme nous le faisions autrefois? Peut-être pas. Mais, il est important de le rappeler, les religieuses qui dirigeaient l'agence dans le Centre-Sud habitaient ce quartier. J'habitais Hochelaga-Maisonneuve, le quartier voisin. C'était le cas de plusieurs employés. Nous nous sentions partie prenante de la vie du quartier. Aujourd'hui, la situation est bien différente. Je ne fais de reproche à personne, c'est un constat. Les travailleuses sociales habitent souvent la banlieue. Les enseignants des écoles primaires des quartiers défavorisés ne résident pas dans le quartier. Résultat : le rapport imbriqué avec les gens du quartier est moins présent qu'avant. Les travailleurs sociaux sont débordés, ils n'ont plus le temps de se rendre aussi souvent dans les familles.

Je garde donc de ces années-là un souvenir assez merveilleux. Nous avions vraiment le sentiment d'être partie prenante d'un quartier en développement, qui créait son CLSC, où œuvraient plusieurs groupes populaires, où les gens souhaitaient de plus en plus travailler ensemble. Ce travail dans le quartier m'a conduite à me poser des questions fondamentales sur le changement social.

À cette époque, vous ne parlez pas encore de féminisme. Vous avez pourtant affirmé avoir regroupé autour de vous quatre de vos amies. Uniquement des femmes, donc. Pourquoi? Parce que vous veniez d'un monde où régnait la division garçons-filles sur le plan de l'éducation, que ce soit dans les guides, les jeannettes… Vous étiez habituée de travailler en groupe de filles.

Oui, mais n'oubliez pas qu'à l'époque le service social était une profession de femmes. Il l'est encore aujourd'hui. Alors, tout naturellement, ce sont des femmes que j'ai rassemblées autour de moi, simplement parce qu'il y avait peu d'hommes. Cela dit, je me souviens d'un autre organisateur communautaire, André. Il avait d'autres dossiers, mais nous travaillions bien ensemble.

Peut-on affirmer que vous étiez déjà une hyperactive qui s'initiait à son rôle à venir?

Une active.

Vous êtes toujours au cœur d'une action, d'une organisation.

Oui, mais c'est ce que j'aime. Certains aiment travailler douze heures par jour sur un ordinateur; d'autres, travailler la terre; d'autres encore, faire de la peinture ou animer une émission à la télévision de Radio-Canada. Moi, c'est l'action sociale.

Françoise chez les M-L

Si vous ne parlez pas encore de féminisme, ce qui compte pour vous, c'est la dimension sociale, la révolution « Demain, le grand soir »?

Pas en 1972, mais en 1976, c'est ce qui se dessine. En fait, j'ai commencé à penser qu'il fallait changer l'ordre des choses et le changer véritablement, sinon il y aurait autant de pauvreté dans cinquante ans qu'en 1976. Je n'avais d'ailleurs pas complètement tort! Pour moi, un changement radical, profond, des règles économiques et sociales, une redistribution de la richesse étaient absolument nécessaires. Comment y arriver? Cela ne pouvait pas se faire, à mes yeux, simplement par la social démocratie. J'ai changé d'avis sur certaines choses depuis, mais en 1975-1976, j'en étais là.

À l'époque, j'appuie le côté souverainiste du Parti québécois, mais son côté social démocrate ne me satisfait pas, je trouve qu'il ne va pas assez loin, qu'il ne remet pas en question l'ordre des choses. Grâce à mon travail, j'évolue beaucoup dans la mouvance sociale, je lutte aux côtés des personnes assistées sociales, pour des garderies gratuites. Je fais partie d'un comité de soutien aux luttes ouvrières et populaires de Montréal, où se retrouvent plusieurs jeunes, futurs militants d'En lutte et du Parti communiste ouvrier. Ceux-ci ne sont pas encore complètement marxistes-léninistes organisés en parti, mais cela se produira sous peu. Je rencontre alors des gens que je ne connaissais pas, dont certains qui me semblent remplis de bon sens. C'est là que je fais la connaissance d'une militante d'En lutte. Elle est fine, intéressante, intelligente. Elle comprend ce que nous faisons dans l'action sociale, mais elle nous dit : « Il faudrait aller plus loin. La solution, c'est la révolution socialiste. C'est ce que nous prônons, au groupe En lutte. Si vous acceptez de nous rencontrer, nous pourrions vous expliquer de quoi il s'agit. » Bien entendu! J'écoute. On me parle beaucoup de la Chine — l'URSS, c'est révisionniste, passé de mode... Je ne suis encore jamais allée en Chine, je ne connais pas tellement ce pays. C'est à cette époque que paraissent les deux livres d'Ann Suyin sur Mao, *Le déluge du matin* (1972) et *Le premier jour du monde* (1975). Je les lis et ils m'impressionnent beaucoup. Aujourd'hui, mon évaluation en serait différente, mais à l'époque je suis conquise.

Nous commençons donc, au sein du groupe En lutte, à entreprendre une démarche de formation et d'intégration. Ce qui m'attire, c'est la révolution au sens de « changer ce qui fait que les gens sont pauvres et exploités ».

Pas les fusils dans la rue...

Oh non! Cela ne m'intéresse pas tellement. Mais je deviens membre d'En lutte et, progressivement, je suis obligée de souscrire au fait que la révolution socialiste se fera très probablement par la lutte armée, parce que les bourgeois ne voudront jamais abandonner le pouvoir. Je serai parfaitement honnête : oui, j'y souscris. Mais dans mon for intérieur, je souhaite que cela se produise lorsque je serai très, très vieille; je n'aurai alors pas besoin de prendre le fusil, car je n'arrive même pas à m'imaginer le faire.

Et vous avez fait un voyage en Chine.

J'y suis allée en 1977.

Vous n'y avez pas vu les camps de travail, mais certaines choses vous ont fascinée.

Oui. Nous sommes en 1977. Je travaille depuis cinq ans dans un quartier pauvre de Montréal. Avant cela, il y a eu Saint-Henri.

Je sais ce que sont la pauvreté, la privation de droits sociaux, les logements délabrés, etc. J'arrive dans un pays du tiers-monde. C'était le cas en 1977 et c'est encore le cas aujourd'hui pour plusieurs régions de la Chine. Qu'est-ce que je vois ? Tout le monde est soigné gratuitement ; il y a des dispensaires partout. Il y a des garderies ; au Québec, ça commence à peine. L'éducation est gratuite partout, y compris à l'université. On voit des maisons de la culture un peu partout, des enfants y font des spectacles, m'arrachant presque des larmes… Comment ne pas être impressionnée par tout cela ? Je ne peux m'empêcher de faire la comparaison avec d'autres pays en développement. J'ai encore en mémoire la situation du Rwanda. Socialement parlant, la Chine est beaucoup plus avancée. Et puis il y a les cuisines populaires, des discussions sur les rapports entre les hommes et les femmes, un plus grand partage des tâches… tout cela, c'est ce qu'on nous présente officiellement. Si j'avais été plus perspicace, peut-être aurais-je vu que la « vraie vie » était quelque peu différente…

Dans notre groupe, la moitié des participants sont sympathisants marxistes-léninistes et l'autre moitié, pas du tout marxistes-léninistes, mais attirés par la Chine. Je me situe souvent quelque part entre les deux. Au moment où nous nous rendons en Chine, la Bande des quatre a été arrêtée, la femme de Mao et trois autres personnes. C'est l'époque de Deng Xiaoping, où l'important est la productivité : il faut ouvrir l'économie et produire. Cet aspect-là me pose question, car il me semble qu'on perd de vue la finalité sociale des changements révolutionnaires. Et je suis la seule parmi les sympathisants marxistes-léninistes qui ose questionner sur ce point. Je demande aussi à notre guide : « Si madame Mao a été arrêtée et jugée contre-révolutionnaire, je ne m'explique pas que monsieur Mao ait passé sa vie avec elle ! » La guide me répond : « Que voulez-vous, il y a parfois des contradictions au sein du peuple ! » Je suis très perplexe devant cette réponse…

À l'occasion d'une autre visite, je demande aux représentantes de la grande Fédération des femmes de Chine : « Pourquoi n'y a-t-il que des femmes qui travaillent dans les garderies, qui enseignent dans les écoles primaires ? Pourquoi n'y trouve-t-on pas d'hommes, si la moitié des humains est supposée être égale à l'autre moitié? » On me répond que les femmes ont davantage de talents naturels pour ces tâches. Je me permets alors de dire que je ne suis pas d'accord. Les autres sympathisants marxistes-léninistes me critiquent.

Je conserve donc, malgré tout, un minimum de lucidité. Mais il est vrai, cependant, que je n'ai pas remis en question les structures antidémocratiques ni l'absence de liberté d'expression, que je ne me suis pas, à l'époque, questionnée sur l'existence des camps de travail. D'ailleurs, je n'en connaissais pas l'ampleur.

Combien de temps avez-vous milité avec En lutte?

Je suis devenue marxiste-léniniste autour de 1976-1977 et j'ai milité de façon active au sein d'En lutte jusqu'en 1982. Je participais à plusieurs réunions le soir, en plus de mon emploi le jour. À partir de 1977, travail et militantisme n'allaient plus de pair. Je travaillais le jour au Carrefour des familles monoparentales et militais le soir avec En lutte. Je distribuais parfois le journal. Les dirigeants d'En lutte avaient sans doute reconnu en moi certaines qualités pour l'action sociale. Ils m'envoyaient par exemple participer à des congrès syndicaux ou étudiants pour diriger ce que nous appelions nos « équipes d'agitateurs et d'agitatrices », membres ou sympathisants d'En lutte que je devais encadrer, préparer aux interventions à faire à l'occasion des assemblées.

Vers 1977, je suis devenue militante au sein de mon syndicat local. J'y avais mis sur pied une cellule d'En lutte. Nous préparions nos interventions aux assemblées générales, nous distribuions le journal. Vers 1978-1979, j'ai proposé à mon syndicat local la mise sur pied d'un comité de condition féminine dont je suis devenue la responsable. Je suis devenue présidente de mon syndicat en 1983.

En 1980, naissance de mon fils. Fin 1980, congrès de ce qui s'appelait à l'époque la Fédération des affaires sociales et qui se nomme aujourd'hui la Fédération de la santé et des services sociaux à la CSN. Plusieurs femmes ont réclamé la mise sur pied d'un comité de condition féminine à la FAS. Le congrès l'a adopté, avec un budget. Après la rencontre, il a fallu élire une représentante par région du Québec; j'ai été élue représentante de Montréal au comité. J'en suis ensuite devenue présidente, poste que j'ai occupé de 1980 à 1984.

En 1982, il y a eu négociation et courte grève dans le secteur public : René Lévesque voulait réduire nos salaires de 20 %. J'étais alors active au conseil syndical, responsable de la condition féminine et membre de l'exécutif. J'ai donc été très impliquée pendant toute la durée de la lutte dont j'ai vécu l'échec très durement. Toujours membre d'En lutte, j'étais toutefois de moins en moins active, et ce depuis la naissance de mon fils. En effet, j'avais beaucoup de plaisir dans mon syndicat, à la condition féminine, et de moins en moins à En lutte. Je comprenais de moins en moins où le mouvement s'en allait. C'était l'époque des grands débats. Des factions s'opposaient. Devait-on dissoudre le mouvement? Le transformer? Certaines militantes d'En Lutte remettaient radicalement en question les positions et le fonctionnement du groupe à propos de la place et des revendications des femmes. Elles ont joué un rôle déterminant dans sa dissolution. De mon côté, je restais dans la mouvance; je suivais. Ma passion, pendant ces années-là, je l'ai vécue plutôt dans le syndicalisme. La dissolution d'En lutte ne m'a donc pas troublée. J'étais déjà ailleurs.

Nous nous sommes trompés

Vous avez certes vécu une désillusion. Mais vous ne reniez pas ce passage au sein des groupes marxistes-léninistes.

Pour moi, renier supposerait que j'ai fait quelque chose d'abominable, tué quelqu'un ou fait une fraude de plusieurs millions de dollars, par exemple, que j'ai très honte de cette période de ma vie. Je suis incapable de dire cela. Toutefois, je peux affirmer que nous nous sommes trompés sur les objectifs, les stratégies et les tactiques. De plus, nous nous sommes laissé abuser par certaines réussites des pays socialistes, sans avoir vu — sans que nos dirigeants aient le courage de nous dire… j'étais jeune et bien ignorante! — que ces avancées sociales étaient réalisées au prix de la liberté d'expression et de la liberté tout court. Je ne suis pas très fière d'avoir adhéré à cela.

Autre chose : sur la question nationale, nous nous sommes complètement trompés. En 1980, je n'étais pas à l'aise avec la position d'En lutte qui consistait à annuler notre vote. Finalement, je n'ai pas voté au référendum de 1980, parce que j'ai accouché trois jours plus tôt…

Je ne suis pas fière que nous ayons fait si peu de place dans nos groupes au féminisme ; je ne suis pas fière non plus de nos interventions déstabilisantes dans les groupes populaires. Je ne suis pas fière de l'ostracisme dont nous frappions les gais et les lesbiennes. Je ne suis pas fière de la place congrue que nous donnions aux ouvriers… alors que nous étions censés travailler pour eux et avec eux! Et je regrette que nous ayons porté sur des militants ou dirigeants syndicaux des jugements très sévères oubliant leur générosité dans leur implication sociale. Ne pas être d'accord, c'est une chose. Mais l'intolérance et la hargne sont très mauvaises conseillères. Il y avait bien des choses qui n'avaient pas de sens. Mais pourquoi est-ce que je ne renie pas cet engagement? Parce que j'y suis allée avec beaucoup de sincérité, comme tous les jeunes de mon âge ou la plupart… Nous nous sommes engagés par idéal, avec une grande sincérité, parce que nous voulions vraiment changer le monde, mettre fin à l'exploitation des pauvres et des marginaux, de ceux et celles qu'on n'écoute jamais. Nous avons cru de bonne foi avoir trouvé le chemin pour réaliser tout cela.

Que vous reste-t-il du jargon de la lutte des classes? Quand on regarde la situation actuelle, on a envie d'en reparler, non?

Il me reste une très profonde indignation devant l'injustice sociale et la compréhension qu'elle n'est pas accidentelle, mais voulue par le système… et elle l'est encore davantage aujourd'hui avec la mondialisation néolibérale. Voilà ce qu'il me reste de très clair. Doit-on appeler cela « lutte des classes »? J'aurais tendance à ne pas privilégier ce vocabulaire, trop lié à cette période-là. De plus, « prolétariat contre bourgeoisie », c'est un peu court comme analyse! Il existe ce qu'on appelle la classe moyenne, classe majoritaire au Québec, très partagée, très oscillante dans tous ses choix politiques, sociaux et économiques. À mon avis, la situation économique et politique, au Québec et dans le monde, est beaucoup plus complexe; on ne peut simplement parler de « lutte des classes » et d'« avant-garde prolétarienne »! À l'étape où j'en suis dans ma vie, je trouve que les situations générales sont complexes et je n'ai pas envie de les simplifier.

Cela dit, aujourd'hui, à l'échelle mondiale, la situation est profondément inégalitaire entre les peuples, entre les hommes et les femmes, entre les couches sociales. Il y a certes des avancées sociales, des progrès sociaux, et chaque progrès est important. Mais les causes des inégalités sont systémiques et ont beaucoup à voir avec l'appétit des riches pour le profit. Le plus de profit possible, le plus vite possible. Je n'ai pas changé d'avis là-dessus. J'ai cependant changé d'avis sur les stratégies à mettre en œuvre. Mais sur le fond, le vieux Marx n'avait pas tort sur toute la ligne...

Ce que vous avez décrit des expériences d'action dans le groupe En lutte donne l'impression d'une expérience fantastique. Qu'est-ce que vous en avez gardé, dans ce que j'appellerais la « capacité de convaincre »? Vous avez parlé du rôle des cellules En lutte au sein du syndicat, comment vous prépariez vos interventions... Il y avait donc dans En lutte une stratégie, qui semble vous avoir suivie. En lutte, une école de stratégie dans l'action?

Oui, mais en partie seulement. J'ai appris au sein d'En lutte à établir un plan de travail rigoureux, à réaliser des évaluations, des bilans. J'ai appris à faire des analyses et à les partager collectivement. Cela ne signifie pas que j'approuve tout ce qui s'y est dit. Nous parlions sans arrêt des contradictions au sein de l'ennemi et au sein du peuple, de la contradiction principale et de la secondaire... Je n'emploie plus ce vocabulaire, mais j'ai gardé le mot « contradictions ». Il décrit bien ce que nous devons connaître de nos adversaires mais aussi ce que nous devons observer dans nos rangs lorsque nous entreprenons un combat. Par exemple, entre le discours officiel d'un gouvernement et son action, il peut y avoir contradiction. Ou entre les membres d'un gouvernement. J'ai appris cela dans En lutte; d'autres l'auront appris ailleurs. Cela fait partie de toute bonne stratégie! Nous devons connaître nos forces et celles de nos adversaires : où sont-elles? Quelles sont-elles? Comment s'en servir? Tout cela est primordial.

J'ai également gardé la notion de rapport de forces. Je demeure convaincue qu'il ne suffit pas d'avoir une bonne idée pour qu'un gouvernement — ou des décideurs, quels qu'ils soient — l'entende. C'est bien dommage, j'aimerais qu'il en soit autrement, mais ce n'est pas le cas. Il faut également ce qu'on peut appeler un rapport de forces. On a besoin que la force du nombre, ou la crainte du gouvernement de ne pas être réélu, ou autre chose, vienne contrebalancer la force des gouvernements qui possèdent à peu près tous les pouvoirs et sont appuyés par tout ce qui a de l'argent...

D'En lutte, j'ai conservé toutes ces notions, mais aussi des éléments plus concrets. Par exemple, c'est comme membre d'En lutte que je me suis adressée à un grand groupe de personnes pour la première fois dans ma vie — excluant quelques discours devant ma classe à la petite école... C'était à l'occasion d'une manifestation contre le gel des salaires. On m'avait dit : « Tu vas monter sur une boîte de savon, tu vas prendre un porte-voix et haranguer la foule. » Je n'en ai pas dormi de la nuit tellement j'étais terrorisée. J'avais dit : « Non, je ne veux pas », mais on m'avait répondu : « Dans En lutte, ça ne se fait pas, dire "Je ne veux pas"! » Je l'ai donc fait et j'ai appris à le faire. Le syndicalisme aussi a été une bonne école sur ce point-là. Je dirais que les deux expériences se sont complétées, même si elles ont été bien différentes.

Distribuer le journal *En lutte*, une autre tâche qui n'allait pas de soi pour moi! Il n'était pas évident qu'une personne accepte de donner vingt-cinq sous pour ce journal. Je devais lui expliquer pourquoi c'était important. J'ai appris dans En lutte, et en même temps dans le syndicalisme, comment m'adresser aux gens, leur parler, susciter leur intérêt, partir de leur réalité, de ce qu'ils vivent, de ce qu'ils savent, en essayant d'aller plus loin avec eux.

Mon engagement dans En lutte m'a donc permis de développer un certain nombre de capacités. Le groupe ne m'a pas confié des tâches où j'aurais probablement été très mauvaise, où il n'aurait pas utilisé mon potentiel. Il a su l'utiliser à fond.

Finalement, je retiens de mon passage à En lutte que je ne veux plus jamais adhérer aveuglément à un « dogme ».

En lutte était un mouvement très dogmatique.

Évidemment.

À la manière de la religion?

Dans un sens, oui! C'est plutôt cocasse : nous quittions l'Église catholique, ses dogmes et ses règles, pour nous engager dans En lutte. Il nous fallait « croire », suivre des règles, lire des documents ennuyeux, ne plus écouter des chansons qualifiées de révisionnistes... Quand j'y pense!

Je continue de croire qu'il est important d'avoir un certain nombre de valeurs, de principes. Qui n'en a pas? Il faut avoir des idées et les exprimer. Mais nous devons être ouverts — et même intéressés — à entendre des opinions différentes des nôtres. Il est important de connaître le point de vue des gens qui ne pensent pas comme nous. Cela nous amène de toute façon à être plus intelligent dans la défense de notre opinion, si on maintient la même. On peut parfois se laisser ébranler, pourquoi pas? Je doute davantage aujourd'hui qu'à l'époque d'En lutte, et je trouve cela très sain.

Travailleuse dans les services publics

En quoi consistait votre travail dans les services sociaux?

Je distinguerai trois époques. De 1972 à 1977, nous en avons parlé, j'ai eu beaucoup de plaisir dans le quartier Centre-Sud.

De 1977 à 1980, je suis « prêtée » par le Bureau de service social Centre-ville à ce qui s'appelait à l'époque le Carrefour des familles monoparentales du Québec, regroupement provincial d'associations de familles monoparentales, dont 75 % des membres sont des femmes. J'étais prêtée à cet organisme qui souhaitait revoir son fonctionnement, ses statuts, ses orientations. J'ai fait là d'autres découvertes. Bien des femmes monoparentales avaient beaucoup de difficulté à joindre les deux bouts et se retrouvaient bénéficiaires de l'aide sociale suite à une séparation ou à un divorce, après avoir habité une maison de banlieue, avec voiture et piscine… Ces femmes étaient très mal à l'aise de se retrouver dans une situation de pauvreté. D'abord parce que c'est difficile, mais pas seulement pour cette raison. On ne s'aperçoit pas au départ qu'on est face à des femmes vivant dans la pauvreté. Elles ne veulent surtout pas en parler et tentent de préserver une image, celle d'avant la séparation. Tout un cheminement sera vécu au sein de l'organisme pendant ces années-là pour qu'émerge enfin la question de la pauvreté et que le Carrefour, aujourd'hui la Fédération des familles monoparentales, en parle, revendique des améliorations à l'aide sociale, à la loi sur les pensions alimentaires. En effet, au départ, tout cela était un peu tabou.

J'ai beaucoup aimé traverser cette période avec le groupe. Cela m'a permis de connaître d'autres facettes de la pauvreté, des femmes différentes de celles que j'avais côtoyées durant plusieurs années dans le Centre-Sud et d'autres stratégies d'action.

Après mon congé de maternité (mon fils est né en 1980), j'ai été rapatriée au Bureau de service social Centre-ville. La première année, j'ai travaillé à l'organisation d'un colloque intitulé « Accoucher ou se faire accoucher », organisé par des groupes œuvrant en humanisation des naissances, remettant en question la médicalisation de l'accouchement. Je venais d'accoucher ; c'était très intéressant. Je découvrais des gens bien différents, surtout des femmes, dont l'intérêt principal était de transformer la naissance. Pour la femme que j'étais, ayant travaillé et milité avec des femmes pauvres, dans les quartiers pauvres, c'était comme découvrir un autre monde. Je trouvais cela très agréable, car j'aime découvrir, changer, etc.

Après ce contrat d'un an, je suis retournée au Bureau de service social. Difficile période… Il y a eu une année de flottement ;

visiblement, le Centre de services sociaux ne savait pas trop quoi faire de moi. J'étais l'une des dernières organisatrices communautaires; plusieurs postes avaient déjà été abolis. À un certain moment, il y a eu une sorte de cassure : on voulait me faire faire du service social individuel; j'ai refusé. Des mesures disciplinaires ont été prises mais ô miracle! un poste d'agente de communications s'est ouvert au bureau chef. J'ai posé ma candidature et j'ai obtenu l'emploi. Parce que j'avais de l'ancienneté et que je savais écrire. Pendant cinq ans, j'ai donc travaillé au service des communications du Centre des services sociaux de Montréal.

Le CSS, comme on l'appelait à l'époque. Voilà une structure qui commence à ressembler à ce que l'on retrouve aujourd'hui.

Oui. C'était énorme : près de 1 700 employés au total, y compris les cadres; 80 points de service. Je travaillais au siège social.

Est-ce là que vous avez puisé votre capacité d'utiliser ou de comprendre les médias?

Non, c'est plus tard, lorsque je suis arrivée au Regroupement des centres de femmes. Ces années-là au service des communications du CSS, loin d'avoir été les plus excitantes de ma vie, m'ont permis de comprendre, au minimum, ce qu'est un service des communications. J'ai appris par exemple à écrire des communiqués; je n'avais jamais fait cela. Mais je n'ai jamais été porte-parole de l'institution. Ce n'est donc pas là que j'ai appris à parler devant les journalistes. J'ai surtout compris comment fonctionne une institution. En effet, jusque-là, de 1972 à 1980, l'institution avait très peu pesé sur moi. J'étais toujours en dehors des structures. À partir de 1980, je l'ai trouvée pesante. Pesante quand on a voulu me faire faire ce que je ne voulais pas; pesante aussi au service des communications, car notre bureau était à six mètres de celui du directeur général...

Ces années ont été des années troubles dans un CSS en perpétuelle redéfinition. De plus, ma relation était compliquée avec ma directrice. Ainsi, à partir de 1983-1984, il est devenu clair que je devais partir.

Je vous vois mal, Françoise David, agente des communications, écrivant pour les autres… un travail plus obscur et loin de l'action! N'était-ce pas une forme de purgatoire, de vous retrouver là?

Les gens me voient aujourd'hui comme une personnalité publique. Mais n'oubliez pas que, jusqu'en 1995, je ne l'étais pas du tout, et cela ne me dérangeait pas.

De plus, je ne faisais pas que cela dans la vie! Ce travail, c'était du « neuf à cinq »… Je vous ai parlé plus tôt de mes engagements dans le monde syndical, qui se poursuivront jusqu'en 1984. De 1985 à 1987, je militerai aussi au sein d'Outils de paix en solidarité avec le Nicaragua.

Les années difficiles ont été de 1984 à 1987. Je travaillais toujours au service des communications, m'ennuyant de plus en plus. Je ne militais plus syndicalement, parce que j'avais l'impression d'avoir fait le tour et que l'échec de 1982 m'avait un peu assommée. J'avais vécu une séparation alors que mon bébé avait à peine un an. J'étais fatiguée. Je vivais une période grise : j'aimais toujours militer, mais j'ignorais où le faire; je ne savais pas vers quoi aller. Il est devenu de plus en plus clair que je devais quitter le CSS. C'était presque une question de santé mentale.

Cela dit, dans les deux dernières années, la directrice des communications, qui ne tenait pas vraiment à m'avoir à ses côtés, a créé un poste de responsable du nouveau Conseil des usagers de l'établissement. J'ai posé ma candidature et j'ai obtenu le poste. C'était presque un emploi d'organisatrice communautaire! Voilà une période que je n'ai pas trop détestée. Je renouais avec une certaine forme d'action sociale… mais bien timide par rapport à ce que j'avais fait avant. Je voulais donc partir. Mais pour aller où? Pour faire quoi? J'avais un jeune enfant. Je ne pouvais me permettre de quitter un emploi sans avoir une autre option! Je suis donc restée jusqu'au jour où, tout à coup, il y a eu une illumination : j'ai vu un poste s'ouvrir, je l'ai pris et je suis partie.

Un poste qui vous conduit au Regroupement des centres de femmes du Québec. Nous y reviendrons dans le chapitre suivant. Que vous reste-t-il de votre expérience de « fonctionnaire »?

Je préfère parler de « travailleuse dans le secteur public ».

Vous avez vécu une période qui ressemble davantage à l'image que l'on se fait du statut de « fonctionnaire », qui peut aller jusqu'à tuer la passion.

Dans mon cas, c'est ce qui s'est produit, mais seulement après 1982. Toutefois, je ne veux pas généraliser. J'ai en effet des amis de cette époque qui continuent de travailler dans le réseau des services sociaux, que ce soit en CLSC ou dans un Centre jeunesse. Ces gens travaillent très fort pour le bien-être des enfants, des jeunes, des familles. Je crois que certaines personnes travaillent bien dans les milieux institutionnels, et c'est bien ainsi! J'ai connu des éducateurs, par exemple, qui travaillent en centre d'accueil fermé pour jeunes délinquants. Pas évident! Et des travailleuses sociales œuvrant à la protection de la jeunesse. Dur métier! J'ai beaucoup de respect pour ces personnes.

Je crois que pour quelqu'un comme moi dont la passion est l'organisation communautaire, il n'y avait plus de place dans l'institution. J'avais besoin, pour me développer à pleine capacité, d'une marge de manœuvre bien plus grande que ce qu'on m'offrait.

3

De la lutte des classes à la lutte des femmes

De la lutte des classes à la lutte des femmes. Tel est le parcours de Françoise David. Ce n'est pas la révolution des marxistes-léninistes, mais une mission beaucoup plus importante et surtout plus féconde. Elle en était peut-être plus ou moins consciente, mais tout la préparait à porter le flambeau de la lutte des femmes. Elle cherchait une cause où elle pourrait donner la pleine mesure de son talent de contestataire, d'organisatrice et, surtout, d'humaniste. Elle l'a trouvée.

Hasard et continuité

Qu'est-ce qui vous a amenée un jour à travailler auprès des groupes de femmes? Est-ce uniquement le hasard ou bien y a-t-il eu autre chose en jeu?

Il y a effectivement une part de hasard, mais également une grande continuité. En effet, dans les années 70, l'action sociale et politique était importante pour moi; mais à la même époque, je découvrais progressivement les besoins, les problèmes et les préoccupations des femmes. Quand on travaille dans les quartiers populaires, on travaille surtout avec des femmes. Les femmes dont je m'occupais dans le quartier Centre-Sud étaient souvent monoparentales, tout à fait seules, vraiment pauvres. Je voyais les problèmes de violence, d'isolement, de pauvreté et de responsabilité des enfants. Au Carrefour des associations de familles monoparentales, je travaillais aussi et surtout avec des femmes.

Dans le mouvement syndical, j'ai œuvré surtout au sein de comités de condition féminine. Les relations avec les hommes syndicalistes n'étaient pas toujours évidentes! C'étaient les années 1981-1984. Nos discussions en comité se passaient bien, nous avions du plaisir. Par la suite, quand nous arrivions devant une majorité d'hommes délégués dans une instance de la FAS, nos revendications n'étaient pas toujours facilement acceptées. Je suis donc devenue, pendant ces années, de plus en plus féministe.

En 1986, je travaillais toujours au service des communications du Centre des services sociaux. Je m'ennuyais de plus en plus, j'avais de plus en plus hâte de partir. Mais pour faire quoi?

En effet, vous aviez une bonne sécurité d'emploi. Vous seriez aujourd'hui presque à la veille de la retraite!

Eh oui! Puis est venue l'époque de la Commission Rochon...

... qui allait conduire à une réforme de la santé et des services sociaux.

Yves Vaillancourt, professeur à l'UQAM, dirigeait une recherche dans le cadre de cette commission. Il m'a demandé d'y collaborer. J'ai accepté. Pour la nouveauté et pour changer d'air! J'ai alors découvert que j'étais peu douée (et peu motivée) pour la recherche, mais que j'adorais réaliser des entrevues. J'ai fait un jour une entrevue avec Lise Brunet, alors coordonnatrice du Regroupement des centres de femmes du Québec et que j'avais déjà rencontrée longtemps auparavant. Au fil de la conversation, elle m'a confié qu'elle terminait son mandat, qu'elle souhaitait travailler ailleurs et que son poste serait bientôt disponible. Ma réaction a été immédiate : « Il faut absolument que tu m'envoies les informations! » Ce fut aussi simple que cela. Aussi clair. Cela se produit parfois dans ma vie; on dirait que tout d'un coup une lumière s'allume... La même chose s'est produite pour la marche de 1995. Une décision qui se prend en trois minutes... probablement parce que ça mijote depuis très longtemps.

Je connaissais un peu le mouvement des femmes et les centres de femmes. Il en existait un dans le Centre-Sud; j'y étais allée animer certains ateliers. Les centres reçoivent des femmes aux problèmes très différents et offrent écoute, accompagnement, éducation populaire et action collective : véritablement une maison des femmes dans une communauté. Il ne s'agit pas d'une maison d'hébergement pour femmes victimes de violence, mais plutôt d'un lieu d'appartenance pour les femmes d'une communauté. J'aimais beaucoup cette formule très polyvalente, qui comprend tout : féminisme, action sociale, action politique, éducation populaire.

J'ai posé ma candidature et j'ai été embauchée. J'ai pris un congé sans solde de deux ans du CSS, me laissant, au besoin, la possibilité d'y revenir. Au bout de trois mois, je savais que je n'y retournerais pas.

Dans votre engagement auprès des groupes de femmes, on voit un peu l'effet du hasard, une chance qui s'est présentée à vous et que vous avez su saisir. Vous n'aviez pas de plan précis, vous ne vous êtes pas dit : « Puisque je suis féministe, je vais dorénavant travailler uniquement avec des regroupements de femmes. »

Non, pas du tout. Une occasion s'est présentée; bien sûr, mon choix de l'accepter n'était pas innocent! J'étais féministe; c'était clair désormais. Depuis deux ou trois ans, je cherchais toutefois où développer mon potentiel, où militer. Je souhaitais aussi aller plus loin. Avec le Regroupement des centres de femmes du Québec, voilà que j'avais l'occasion de travailler au sein d'un réseau national, donc très large, avec une base bien concrète, les centres de femmes implantés dans les diverses communautés à travers le Québec. Une nouvelle plongée dans le domaine communautaire : c'est là que j'avais commencé et c'est vers cela que je m'en retournais.

Être féministe

Qu'est-ce que c'est, pour vous, être féministe?

Au début, dans les années 80, mon féminisme partait du cœur, des « tripes ». Il était la contestation de toutes les formes d'inégalités entre les hommes et les femmes, y compris parfois dans ma vie. Je n'étais pas très reposante, à cette époque! Parfois pour de bonnes raisons! Puis un jour, on se calme, on analyse, on accepte de dialoguer…

… avec l'ennemi?

Non, pas avec l'ennemi. Avec, dirait une compagne féministe, « la partie adverse ». J'ajoute : « et aimée »… Après un certain temps donc, on fait la part des choses. On continue alors de dénoncer les inégalités, la pauvreté, la violence faite aux femmes, mais on cherche à en comprendre les racines. On veut discuter, se gagner des alliés.

Aujourd'hui, je considère que le féminisme fait la synthèse de tout ce que j'ai fait de mieux dans ma vie. Pour moi, le féminisme, ce n'est pas seulement l'égalité des droits entre les hommes et les femmes; ce serait presque trop simple. Si c'était cela, on pourrait dire qu'au Québec la question est quasiment réglée. Le féminisme ne consiste pas non plus uniquement à avoir 50 % de femmes en politique, ce qui est en soi louable, très correct et démocratique. Pour moi, le féminisme est à la fois une grille d'analyse et un moteur pour l'action. C'est la reconnaissance, à l'échelle de la planète, de la persistance d'idées patriarcales qui infério-risent les femmes, les exploitent économiquement et pratiquent la discrimination contre elles. C'est la lutte contre les modèles stéréotypés de femmes, contre les rôles obligés. C'est la prise de parole des femmes. Enfin! Le féminisme constitue une remise en question très profonde des rapports sociaux, bien sûr entre les hommes et les femmes mais aussi, à la limite, entre tous les êtres humains. J'ai beaucoup de difficulté à comprendre qu'on puisse être féministe et ne pas se préoccuper de l'oppression ou de ce que subissent d'autres personnes que les femmes, que ce soient les personnes des minorités visibles, les personnes handicapées, les homosexuels, les autochtones, les gens pauvres.

Il me semble important de conserver une certaine cohérence dans nos prises de position. Si la moitié féminine de l'humanité doit être égale à l'autre, je ne vois pas pourquoi l'ensemble des êtres humains ne devraient pas être égaux entre eux! Il s'agit sans doute d'une utopie, mais seule l'utopie nous fait avancer.

Rêvez-vous d'une féminisation des rapports sociaux?

Je ne pose pas le problème de cette façon. Je n'ai pas envie que les hommes deviennent comme les femmes. Pour moi, la ques-tion est ailleurs. L'important est d'établir des rapports sociaux où tous les êtres humains se sentent libres et égaux, capables de choi-sir leur vie, leur travail, choisir leurs partenaires, choisir où ils et elles veulent vivre en toute autonomie, qu'ils soient hommes ou femmes. Nous pouvons être égaux et différents.

Que les hommes continuent d'aimer davantage que les fem-mes le hockey ou le baseball, par exemple, cela m'est complète-ment égal. Ce que je n'accepte pas, c'est la violence au hockey! Bien des hommes la dénoncent, d'ailleurs. Et si les femmes con-tinuent d'aimer davantage que les hommes chanter dans une cho-rale ou jardiner, quel mal y a-t-il à cela? L'important est que chacun et chacune puisse en toute liberté et en toute autonomie exercer ses choix.

Je vais plus loin. Si je souhaite qu'il y ait égalité entre les hom-mes et les femmes, pourquoi ne souhaiterais-je pas que les gens qui ont moins de moyens financiers aient eux aussi et elles aussi — parce que ce sont souvent des femmes — des choix au moins comparables à ceux des gens plus fortunés? Pourquoi les personnes pauvres n'auraient-elles pas, elles aussi, accès à ce qui est beau, à ce qui permet à notre esprit de se développer, à la culture, etc.? Pourquoi accepterais-je davantage ces inégalités alors que je revendique l'égalité entre les hommes et les femmes? Pour moi, ce n'est pas logique!

En quoi une telle vision est-elle féministe? Voulez-vous dire qu'il existe une manière féministe de voir la réalité et de vivre la réalité? Parce que tout ce que vous venez de me décrire, je pourrais y souscrire... mais je peux vous dire : « Je ne suis pas féministe. »

Vous pourriez peut-être dire que vous l'êtes, ou je pourrais penser que vous l'êtes.

Mais en quoi ce que vous décrivez est une vision féministe?

Le féminisme propose une vision égalitaire des rapports sociaux entre hommes et femmes et des changements profonds aux institutions politiques, économiques et sociales afin que les droits des femmes soient respectés et qu'elles participent de plain-pied à ces institutions.

Si moi, comme féministe, je suis contre l'oppression des femmes, c'est parce que, fondamentalement, j'ai adhéré à cette idée que tous les humains naissent égaux et libres en droits et en dignité. Ce que je sais, c'est qu'une fois qu'ils sont nés cela n'est plus vrai du tout! Si j'adhère à cette idée profonde, qui est celle de la Charte universelle des droits de... l'Homme, eh bien! oui, je me battrai pour les droits des autochtones, contre la déforestation de l'Amazonie ou du Québec, je me battrai pour les droits des minorités, etc.

Dans tous les combats que vous avez menés, dans les affrontements ou discussions que vous avez eus avec les gens de pouvoir, avez-vous senti que votre vision féministe faisait en sorte que votre lecture de la réalité était différente?

Avec certains hommes de pouvoir, oui. Ma vision féministe a évidemment transformé ma façon de voir les choses. Je suis beaucoup plus sensible à la dimension « femme » de quelque problème que ce soit. Pas parce que j'exclus de m'occuper de l'autre moitié de l'humanité, pas du tout! Mais je crois que, face à bien des problèmes, il est intéressant de se demander comment les femmes sont touchées. Ont-elles des préoccupations particulières? On découvre très souvent que c'est le cas. La mondialisation néolibérale, par exemple, a des conséquences plus dramatiques sur les femmes que sur les hommes, particulièrement dans les pays en développement. Je puis vous le démontrer. Mais ce ne sont pas tous les militants antimondialisation qui le reconnaissent. Certains refusent d'intégrer l'analyse féministe dans leur action ou dans leur fonctionnement, car cela bouscule leurs propres privilèges.

J'ai réalisé une entrevue avec vous et votre frère, Charles-Philippe David, spécialiste de stratégie militaire et diplomatique, au sujet des bombardements américains en Afghanistan en 2001. Vous réclamiez l'arrêt des bombardements; Charles-Philippe, dans sa logique, considérait la situation d'une façon bien différente. Était-ce votre vision de femme, votre dimension féministe qui faisait la différence?

Vision de femme… pas toujours. Certaines femmes me semblent d'humeur très guerrière, parfois! Nous sommes là devant un phénomène complexe.

En période de guerre, sondage après sondage, les femmes sont en majorité opposées aux affrontements armés. Ce fut le cas pour la guerre du Golfe, de même pendant la guerre en Afghanistan. Sans faire de nous des anges — nous ne sommes pas naïves! —, je pense que face à des questions comme celle-là nous avons, d'emblée, une réaction quelque peu différente de celle de beaucoup d'hommes. Il se peut que, suite à des discussions, notre position évolue. Toutefois, spontanément, il existe chez les femmes une peur, une horreur de la guerre. C'est ce qui monte dans un premier temps. Je pense qu'on ne peut dissocier cette réaction de l'expérience de la violence vécue intimement par beaucoup de femmes.

Est-ce votre dimension de femmes ou celle de mères?

C'est une bonne question… à laquelle j'ai de la difficulté à répondre! Certaines féministes diraient que la maternité joue un rôle très important dans nos réactions. Parce que nous donnons la vie, placées devant l'horreur de la guerre, nous penserons d'abord aux enfants. Même les femmes qui n'ont pas d'enfant vous le diront : nous voyons toujours des enfants. Nous avons bien sûr un bagage historique, intériorisé — est-ce génétique? — qui nous conduit à cela.

Je ne dis pas que les hommes aiment la guerre, que la majorité d'entre eux la souhaitent. En fait, beaucoup la dénoncent, je pense à l'intervention américaine en Irak, par exemple. Mais plusieurs hommes, en écoutant la télé, s'attarderont au type d'avion, à son fonctionnement technique… Les combats et les armes exercent sur certains d'entre eux une sorte de fascination. Bien sûr, si je leur dis : « Eh! Il y a des gens au sol! », la dimension humaine s'imposera pour la majorité d'entre eux. Je n'affirme pas que les hommes sont insensibles à la guerre, mais on dirait qu'ils s'en distancent émotivement plus facilement dans un premier temps.

Une chanson dit : « Les hommes partent à la guerre en chantant… »

Je ne crois pas que cela soit vrai pour la plupart. Peut-être pour certains d'entre eux. Dans certains pays, les enfants sont élevés à penser qu'ils devront un jour faire la guerre et que c'est bien ainsi. Vous me direz qu'ils sont élevés par leur mère… Oui, en partie. Ce phénomène est très complexe.

Après la première réaction, dans l'analyse, hommes et femmes peuvent très bien se rejoindre. En effet, j'ai plusieurs amis qui partagent exactement mon opinion des bombardements en Afghanistan. Dans les manifestations contre la guerre en Irak, on retrouve autant d'hommes que de femmes.

Mais pour en revenir aux hommes de pouvoir, il m'est arrivé parfois de les voir discuter loin des micros et des caméras. Ouf! C'est viril! Ils sont à la fois plus familiers et moins polis. Le ton monte rapidement, ça peut voler très bas! Je n'ai jamais eu ce type de discussion. Cela devait probablement être un peu déconcertant pour certains hommes politiques ou dirigeants syndicaux avec qui j'ai eu à discuter. J'ai vécu des moments de colère très profonde, une colère que j'ai cependant exprimée calmement.

Vous n'avez pas besoin d'élever la voix.

Eh non! Je n'ai pas le style de Michel Chartrand et je ne l'aurai jamais. Je crois que bien des femmes se reconnaissent ici. Peut-être même aussi plusieurs hommes. Je me rappelle, à l'époque, à la FAS (CSN), les grands rassemblements syndicaux. Nous nous retrouvions à six cents; tout le monde n'était pas d'accord, des gens s'engueulaient, certains hommes dépassaient franchement les bornes. À notre comité de condition féminine, nous nous sentions progressivement plus fortes. Un jour, lors d'une assemblée, une femme a pris la parole au micro : « Monsieur le président, serait-il possible à partir de maintenant de bannir les sacres quand les gens viennent parler au micro? Pourrions-nous nous parler calmement, même quand nous ne sommes pas d'accord? Si nous continuons comme ça, bien des gens n'oseront même pas se présenter au micro pour prendre la parole! » Son intervention a été accueillie par un tonnerre d'applaudissements et des changements se sont produits par la suite. Il fallait qu'une femme se présente devant le groupe pour dire cela. Un homme aurait bien pu le dire, mais il se trouve que ce fut une femme...

En d'autres mots, je crois que, comme femmes, nous avons effectivement des manières différentes de vouloir convaincre, de vouloir aborder les sujets, d'expliquer les choses. Nous avons des soucis pédagogiques extrêmement importants, ce qui n'est pas le cas de tous les hommes.

Une manière différente... parfois déconcertante?

Je crois que oui. Mais les hommes vont devoir s'y faire, parce que nous sommes de plus en plus nombreuses dans la sphère publique. Il ne s'agit pas d'être tous et toutes d'accord, mais nous pouvons débattre sans nous lancer des tomates! Même si c'est parfois compliqué, il est possible de discuter correctement et cela, les femmes peuvent l'apporter!

La Fédération des femmes du Québec

Votre arrivée à la Fédération des femmes du Québec, un moyen de répondre à votre besoin du coup d'éclat?

Honnêtement, je n'ai jamais rêvé à des coups d'éclat dans ma vie. J'ai passé sept belles années au Regroupement des centres de femmes. J'y ai beaucoup appris. J'ai été responsable de deux campagnes de visibilité et de financement; j'ai fait le tour du Québec, j'ai travaillé sur des dossiers d'intérêt national et j'ai bien mieux compris les revendications et les modes d'action du mouvement des femmes. En fait, je me suis progressivement attachée très fort à ce mouvement.

Lorsque je suis allée à la Fédération des femmes du Québec, c'était une suite logique à ce que j'avais fait jusque-là. La FFQ vivait à l'époque de grandes difficultés de membership et de financement. Certains groupes de femmes remettaient en question leur appartenance à la FFQ. Sentant qu'il fallait mettre en œuvre des changements importants, des représentantes de groupes nationaux de femmes avaient décidé d'accéder au conseil d'administration. J'y ai été déléguée, donc, par le Regroupement des centres de femmes.

Je ne suis pas une personne qui voit plusieurs années à l'avance. En 1992, si vous m'aviez dit : « Dans deux ans tu seras présidente de la FFQ », je ne vous aurais pas cru! J'y étais vice-présidente. Mais en 1994, la présidente de la FFQ a démissionné. Là, j'ai dû réfléchir! Je sentais que je devais faire le saut, mais j'avais peur.

Cela ne faisait pas partie de votre plan de carrière?

Je n'ai jamais eu de plan de carrière.

Certains interprètent votre arrivée à la présidence de la FFQ comme une forme de radicalisation. De mémoire, la FFQ des années 80 était bien différente de la FFQ sous la présidence de Françoise David! Vu de l'extérieur, avec le parti pris de la FFQ pour les femmes les plus démunies, d'autres femmes ont-elles pu considérer que la Fédération s'éloignait d'elles?

Voici ce qui s'est passé. Lorsque je suis devenue vice-présidente en 1992, une des critiques faites à la FFQ était qu'elle était trop éloignée des femmes pauvres. En 1992, le Québec était en pleine récession. Le chômage et la pauvreté faisaient rage. Les centres de femmes et les groupes communautaires étaient fréquentés en grande majorité par des femmes pauvres. Le mouvement des femmes était de plus en plus sensible à ces questions. Je l'étais évidemment moi aussi.

En 1993, le congrès d'orientation de la FFQ a été très clair sur le sujet : nous avons voté à l'unanimité que désormais, la Fédération accorderait une priorité aux femmes pauvres et sans voix, y compris à toutes celles qui vivent une double discrimination. À partir de là, à partir également de tous les gestes posés par la suite par la FFQ, certaines femmes de milieux plus aisés, des professionnelles, par exemple, ont pu se sentir plus loin des objectifs et des actions de la Fédération. C'est vrai. En même temps, le nombre des associations membres de la FFQ a triplé et le nombre de membres individuelles est passé de cent à huit cents. Après toutes ces années, j'en conclus que nous nous devions d'établir cette priorité. Et bien des femmes de la classe moyenne rencontrées pendant ces sept années m'ont confié être d'accord avec cette priorité, par solidarité.

Françoise David, ex-militante marxiste-léniniste, ex-militante syndicale, se retrouve alors à la tête de la FFQ. C'était sans doute la première fois…

C'était sûrement la première fois qu'une ex-marxiste-léniniste présidait la Fédération! Mais j'ai connu plusieurs des autres présidentes de la FFQ et je peux vous dire que c'étaient des femmes drôlement bien! Des femmes intelligentes, qui ont fait de nombreuses représentations sur plusieurs questions, y compris sur des questions touchant les femmes pauvres. Des femmes qui avaient le cœur à la bonne place. Bien sûr, elles n'avaient pas toutes été organisatrices communautaires, syndicalistes, marxistes-léninistes. Ça n'est pas un passage obligatoire pour devenir présidente de la FFQ!

Lorsque je le suis devenue en 1994, je roulais ma bosse depuis plus de vingt ans dans le monde communautaire, syndical et féministe. J'avais également acquis une connaissance très fine du mouvement des femmes, je savais qu'il y avait là des femmes qui souhaitaient s'unir autour d'objectifs communs. D'où la marche de 1995. Je savais qu'il fallait régionaliser la Fédération, les femmes des régions devaient sentir qu'elles y avaient leur place. Je pensais — c'est mon apport à moi — qu'il fallait instaurer une pratique de mobilisation collective. La FFQ excellait dans le *lobby* politique, la représentation, mais possédait moins le réflexe de mobilisation collective. Et dans mon cas, c'est comme si j'étais tombée là-dedans quand j'étais petite… J'ai pu effectivement apporter cet élément nouveau à la Fédération.

4

Des femmes en marche

Mai 1995, une première. Trois colonnes de femmes marchent durant dix jours sur Québec pour « Du pain et des roses ». Elles viennent de toutes les régions. Elles veulent ébranler les colonnes du pouvoir, le Parlement. Ce n'était pas prévu au départ, mais la marche précède de quelques mois le deuxième référendum sur la souveraineté du Québec. La marche, un succès! Cinq ans plus tard, à l'initiative des femmes québécoises, des femmes du monde entier marchent jusqu'au cœur du pouvoir mondial, le Fonds monétaire international et la Banque mondiale à Washington et le siège de l'Organisation des Nations Unies à New York.

Une première marche contre la pauvreté (1995) et une deuxième pour lutter contre la pauvreté et la violence faite aux femmes (2000), deux événements qui traduisent très bien la percée des femmes dans tous les domaines, mais qui démontrent aussi que la route de l'égalité est encore longue. Dans les deux cas, des demandes précises des femmes. Des gains réels en 1995, mais presque une fin de non-recevoir en octobre 2000.

« Du pain et des roses »

Sur le plan de l'action, deux grands événements seront majeurs dans l'histoire de la FFQ, deux coups de tonnerre dans le paysage féministe : la Marche « Du pain et des roses » et la Marche mondiale des femmes de l'an 2000.

En 1994, au moment de la Marche « Du pain et des roses », je souhaitais frapper fort. Je voulais que le mouvement des femmes entre dans l'imaginaire des Québécois, que tout le monde reconnaisse sa valeur, qu'on le crédite de ses immenses mérites. Le mouvement des femmes au Québec n'a pas commencé avec moi, loin de là; je l'ai même rejoint assez tard.

J'ai eu envie de réunir plusieurs objectifs. D'abord nous attaquer résolument à la question de la pauvreté. En 1994, nous sortions d'une récession, le chômage faisait rage et la pauvreté augmentait. Je savais que c'était là un thème rassembleur dans le mouvement des femmes. Deuxièmement, je voulais que la population québécoise connaisse mieux le mouvement des femmes. Troisièmement, je souhaitais obtenir des gains concrets; j'en avais assez des batailles dispersées où nous gagnions très peu. Je me suis dit qu'à plusieurs nous avions des chances de gagner davantage. Quatrièmement, je voulais que désormais nous soyons des actrices incontournables de la scène politique.

Nos objectifs ont presque tous été atteints. Nous avons rassemblé les femmes autour du thème de la pauvreté; à partir de ce moment-là, le mouvement des femmes a vécu beaucoup plus d'unité. Nous avons fait connaître le mouvement des femmes auprès de la population. Nous sommes devenues des actrices incontournables de la scène publique. Pour ce qui est des gains concrets, nous avions donné la note de passage au gouvernement de l'époque, celui de monsieur Parizeau.

Pour la population, toutefois, l'important a été de voir, pendant dix jours, huit cents femmes marcher le long des routes et de prendre conscience qu'au fond, ces féministes-là étaient leur mère, leur sœur, leur amie... des femmes comme tout le monde !

Marche « Du pain et des roses », Québec, le 4 juin 1995

Le thème de la marche avait été emprunté à des événements du passé.

Oui, nous l'avions emprunté à une grève des ouvrières du textile aux États-Unis au début du XXe siècle, dont le thème avait été *Bread and Roses*. Ces femmes réclamaient la journée de huit heures, l'abolition du travail des enfants et des hausses de salaire, bien entendu. Elles affirmaient avoir besoin non seulement de meilleures conditions de travail sur le plan économique, d'argent, de revenus, mais également de rapports humains harmonieux, d'une meilleure qualité de vie, besoin de voir grandir leurs enfants en santé et en sécurité.

Même si nous voulions organiser une marche contre la pauvreté, nous ne voulions pas nier cette dernière dimension de la vie. Elle a effectivement été très présente. Outre les revendications et la dimension militante de la marche, je crois que les gens ont été frappés par l'émotion qu'elle dégageait et sa beauté. Il y avait des roses partout!

L'idée de la marche, vous l'aviez empruntée à Martin Luther King.

Je cherchais depuis un certain temps un moyen pour mobiliser les membres. Un congrès d'orientation, c'est bien pour faire réfléchir un mouvement, mais c'est moins mobilisant qu'une action commune. Je cherchais donc... jusqu'au soir où, tranquille dans mon salon, j'ai vu par hasard un reportage sur la marche des Noirs aux États-Unis en 1967. En les voyant marcher longtemps, jusqu'à Washington, une petite lumière s'est allumée et je me suis dit : « C'est ça! Nous allons marcher! »

On voit là le sens du « spectacle » médiatique que vous possédiez déjà. Parce que vous saviez bien qu'un tel événement serait couvert par les médias!

Je vais peut-être vous étonner, mais je n'étais pas si sûre qu'ils le suivraient du début à la fin. Évidemment, j'avais compris l'importance des médias, surtout au Regroupement des centres de femmes, d'ailleurs. Alors que nous tentions d'obtenir du gouvernement libéral notre premier plan de financement, je m'étais entourée

d'amies professionnelles de la communication. Elles m'avaient dit :
« Si tu veux qu'un gouvernement t'écoute, les gens doivent savoir
qui sont les centres de femmes, leurs objectifs, etc. » Elles m'ont
appris à être présente dans les médias et à faire parler de nous.

Au cours de nos campagnes de visibilité, nous avions compris
que les choses se mettent à bouger quand les députés bougent. Et
pour que les députés bougent, la population doit bouger localement. Le rôle des médias est crucial dans le fait de donner ou non
de la visibilité à une action.

Nous allions donc organiser une marche. Je me disais que si
quelques centaines de femmes marchaient pendant dix jours, nous
avions des chances que les médias couvrent l'événement au moins
au début et à la fin. Mais ils ont fait beaucoup plus que cela!

*Même si la pauvreté agissait comme dénominateur commun, vous
avez rassemblé des femmes aux revendications multiples, des
groupes très différents. Comment avez-vous fait?*

Voilà une illustration de l'importance de la collectivité. Avoir
une idée, c'est bien. Mais si cette idée n'a aucun rapport avec les
besoins des groupes concernés, elle ne fera pas long feu. J'ai eu le
mérite d'avoir l'idée, oui; mais c'est le mouvement des femmes
qui l'a reprise, améliorée et traduite organisationnellement. Sans
toutes ces féministes, inutile de dire qu'il ne se serait rien passé du
tout!

J'ai présenté mon idée au conseil d'administration qui l'a ac-
ceptée. Nous avons alors envoyé une lettre à un certain nombre
de groupes leur présentant notre projet : « La FFQ croit qu'il est
grand temps que nous fassions quelque chose sur la question de la
pauvreté. Nous pensons organiser une marche d'environ deux
cents kilomètres, pendant près de dix jours. » Nous proposions
une rencontre pour en discuter. Dès cette première rencontre, en
mars 1994, une vingtaine de groupes étaient représentés. À la fin
de cette réunion, trois comités avaient déjà été mis sur pied. Trois
ou quatre rencontres plus tard, le thème, l'itinéraire et les revendications étaient déjà fixés!

Je crois que le projet est arrivé au bon moment, à un moment où le mouvement des femmes avait besoin de se retrouver, de se « serrer les coudes », de se montrer. Les régions aussi ont embarqué. Trois contingents de marcheuses ont traversé au total soixante villes et villages! Sans les femmes des régions, cela n'aurait pas pu fonctionner. Elles ont accepté de nous héberger, d'organiser des marches locales et d'autres activités publiques. Elles ont sensibilisé les communautés, contacté les médias, mobilisé des jeunes. Un travail exceptionnel!

Une telle action peut-elle représenter une forme de piège pour un gouvernement? Je vous revois au point d'arrivée, à Québec, sur l'estrade, après le discours du premier ministre Parizeau… Un gouvernement est presque condamné à vous dire oui!

En l'an 2000, à l'occasion de la Marche mondiale des femmes, ils ne se sont pourtant pas gênés pour nous dire non!

En l'an 2000, la cible n'était pas la même!

Elle n'était pas si différente. Nous avions des revendications sur la violence et la pauvreté. En 1995, nous avons obtenu des gains dans la lutte contre la pauvreté; pas en 2000.

En 1995, nous avons réalisé, il est vrai, un coup d'éclat. En fait, j'en ai pris conscience au fur et à mesure que la marche progressait. Plus la marche avançait, plus elle prenait une grande ampleur médiatique. J'étais moi-même surprise. Au fil des dix jours, j'ai senti monter l'appui populaire, au-delà de mes espérances. Dans ce contexte-là, nous avons demandé à monsieur Parizeau de venir nous transmettre les réponses du gouvernement devant la foule rassemblée à Québec. Notre raisonnement était simple : « Nous sommes en démocratie. Voici la population qui s'exprime. Venez nous donner vos réponses devant la population. »

Pourquoi monsieur Parizeau a-t-il accepté? Je le vois clairement aujourd'hui. D'abord parce que la majeure partie des réponses étaient effectivement positives. Il faut toutefois comprendre que nos demandes étaient somme toute modestes, plus modestes qu'en l'an 2000. Deuxièmement, l'événement avait pris une telle ampleur, il était tellement beau, tellement médiatisé, qu'il aurait été gênant en effet de refuser… *à six mois du référendum*! N'oubliez jamais cela. Le plus ironique, c'est qu'au tout début de l'organisation, au moment de décider d'une date pour la tenue de la marche, le référendum ne faisait même pas partie des éléments ayant joué dans la décision. Si nous avons choisi de tenir la marche en mai 1995, c'est parce que c'était le moment qui nous semblait le plus propice pour l'organisation d'un tel événement : une période où il fait habituellement beau, pas trop chaud, etc. Après, au fil des mois, nous avons pris conscience du « six mois avant le référendum ». Nous nous sommes dit que ça ne tombait pas trop mal! En 1995, le gouvernement péquiste avait besoin du vote des femmes pour la souveraineté. Mais nous ne réfléchissions pas en ces termes. Cette marche-là, je l'ai faite dans un acte de foi, d'espoir, de confiance totale dans nos capacités… C'est pourquoi elle demeure un si beau souvenir pour moi. Si vous saviez comme la stratégie politique a occupé peu de place! J'en souris aujourd'hui…

La Marche mondiale des femmes

Auriez-vous organisé la Marche mondiale des femmes, n'eut été du succès de la Marche « Du pain et des roses »?

Nous n'y aurions même pas pensé! Et puis, la Marche de l'an 2000 n'est pas mon idée. J'y ai même un peu résisté. Elle me faisait peur. Je sentais intuitivement tout le travail qu'un tel projet exigerait.

Les deux femmes qui ont lancé l'idée étaient la coordonnatrice et la responsable à la mobilisation pour la marche de 1995. Deux travailleuses extraordinaires de la Fédération des femmes du Québec qui ont joué un rôle très important dans l'organisation de l'événement. Avant même que la marche se termine, elles étaient tellement emballées qu'elles voulaient déjà renouveler l'expérience! Et elles se sont dit : « La prochaine fois, nous ne pourrons pas faire la même chose. Nous devrions faire ça en l'an 2000 et viser "mondial". »

Heureusement, elles ne m'ont pas parlé de cela avant la fin de la marche; je pense que je me serais évanouie! Elles ont attendu après l'événement pour me dire qu'elles aimeraient commencer à en discuter. Je me rendais à Beijing pour participer au Forum mondial qui précédait la conférence des Nations Unies sur les femmes, en septembre 1995. Avec une autre déléguée québécoise du Regroupement des centres de femmes, j'ai organisé un atelier pour présenter la marche que nous venions de vivre, à l'aide d'une vidéo, et proposer la tenue d'une marche mondiale contre la pauvreté en l'an 2000.

Trente femmes, provenant d'une dizaine de pays dits « francophones », ont trouvé stimulant et émouvant de nous voir, femmes du Québec, marcher à travers villes et villages. Elles ont été emballées par le projet d'organiser une autre marche pour l'an 2000, à laquelle participeraient des femmes du monde entier. En cette ère de mondialisation, de montée du conservatisme social, nous devions travailler ensemble. Les Québécoises présentes ont recueilli les coordonnées de près de deux cents femmes d'un peu partout à travers le monde.

Fin septembre 1995, à peine quelques mois après la marche du mois de mai. De retour chez nous, c'est l'assemblée générale de la Fédération. Une des membres se présente au micro : « Je propose que la Fédération des femmes du Québec initie une marche mondiale des femmes en l'an 2000. » Rapidement, le débat s'engage sur le sujet. Je me revois, assise en avant, à côté de la présidente d'assemblée. J'ai fini par lever la main pour prendre la parole : « La FFQ n'a même pas fini de payer la marche de mai dernier! Elle est encore dans une période fragile de son existence. Ce que je propose, c'est que celles qui souhaitent travailler au projet d'une marche en l'an 2000 se rencontrent. Vous aurez toute la liberté de faire ce que vous voulez. Je n'ai malheureusement pas de personne-ressource ni d'argent à vous donner pour travailler là-dessus. Développez le projet puis revenez-nous à la prochaine assemblée générale. » Une vingtaine de militantes se sont donc rencontrées durant un an et elles ont peaufiné le projet avec beaucoup de rigueur.

La proposition a fini par être adoptée à l'assemblée générale de 1996, dans l'unanimité et l'enthousiasme général.

Je me rappelle un éditorial qui dénonçait, dans le cadre de la Marche mondiale, les écarts entre les différents thèmes, les différents groupes, les contradictions même entre, par exemple, les femmes musulmanes et les femmes du Québec, entre les femmes afghanes et celles d'Amérique du Nord. Comment réussir à concilier tout cela?

Ce genre d'éditorial est tellement absurde! Ceux qui les écrivent ne connaissent rien au mouvement des femmes. Pour réussir à concilier les différences, nous avons agi de la même façon que dans le cadre de la marche de 1995 : nous avons travaillé sur les convergences.

Et quelles étaient les convergences?

Pour la Marche mondiale de l'an 2000 : la lutte contre la pauvreté et contre la violence faite aux femmes. Là-dessus, toutes les femmes s'entendent. Par la suite, chacune réalise sa propre analyse, développe ses stratégies, selon sa réalité locale. Les activités réalisées un peu partout dans le monde étaient différentes d'un pays à un autre. Chacune a fait ce qu'il lui paraissait important de faire.

Nous nous sommes entendues sur un texte commun, présentant nos dix-sept revendications mondiales. Nous avons mis quarante-huit heures pour y arriver. Et pas parce que nous avons gommé nos différences! Au contraire, nous les connaissons bien. Mais nous avons tablé sur les convergences. Quelles sont-elles? La plupart des groupes de femmes, dans le monde, partagent l'analyse suivante : la mondialisation néolibérale, avec tout son cortège d'exclusions et de discriminations, apporte aux femmes un fardeau grandissant au sein de la famille et de la communauté. Les femmes sont, en ce moment, les grandes perdantes de la mondialisation. Nous nous entendons toutes là-dessus.

Sur la violence faite aux femmes, il n'est pas difficile de nous entendre, tous pays confondus! Nous savons qu'elle trouve son origine dans les idées patriarcales d'infériorisation et de dévalorisation des femmes.

Marche mondiale des femmes, Washington, 15 octobre 2000

Parce que cette réalité se retrouve partout.

Elle est universelle. La différence réside dans la manière de trai-
ter le problème, selon les pays. Au Québec, il est interdit de battre
sa femme. Cela ne veut pas dire que la violence faite aux femmes
n'existe pas. Cela signifie qu'un homme qui battrait une femme
dans la rue, par exemple, serait arrêté par la police, ce qui n'est pas
le cas dans bien d'autres pays.

En Afrique, des centaines de milliers de femmes subissent l'ex-
cision. C'est une pratique interdite au Québec. Dans certains pays,
les femmes doivent porter le voile. Nous avons droit, au Québec,
au divorce et à la pension alimentaire. Bien des femmes musulmanes n'y ont pas droit. Dans plusieurs pays catholiques, les
femmes n'ont pas droit à l'avortement.

J'en connais maintenant beaucoup plus qu'avant sur la situation des femmes dans le monde. Je vois bien toutes nos différences. L'un des points centraux de la Marche mondiale, défini

dès le début, a en effet été le respect de la diversité. Mais nous avons travaillé à notre unité.

Les refus de la part des gouvernements ont-ils été plus grands en l'an 2000 qu'en 1995, tant sur le plan national qu'international?

Nous avons vécu au Québec, entre la marche de 1995 et celle de l'an 2000, plusieurs années difficiles. Pendant trois ans, les luttes obsessives pour atteindre le « déficit zéro » — selon moi, à une vitesse folle et sans tenir compte des impacts sur la population — ont marqué les décisions politiques. Ces années m'ont fait comprendre que les gains espérés à la Marche mondiale seraient plus difficiles à obtenir. Au Québec comme ailleurs, la mondialisation frappe : c'est le règne de la compétitivité effrénée, les travailleurs et travailleuses doivent être flexibles, hyperproductifs; c'est la période de restructurations, de mises à pied massives, de coupures dans les services publics. Les femmes ont été durement touchées : d'abord parce qu'un grand nombre des emplois perdus dans les services publics étaient détenus par des femmes; de plus, les femmes doivent jouer le rôle d'aidantes naturelles ou travaillent dans des services de maintien à domicile, sous payées. Pendant ces années-là, nous avons accusé des reculs, malgré certaines mesures progressistes comme les garderies à 5 $ par jour.

Dans le cadre de la Marche de l'an 2000, les femmes du monde présentaient ensemble leurs revendications aux Nations Unies. De plus, les femmes de chaque pays présentaient à leur gouvernement leur propre plate-forme de revendications, pour tenir compte des différences. Ici, au Québec, sur l'ensemble de nos demandes, nous n'avons à peu près rien obtenu. Pourquoi? Je me suis bien torturé l'esprit pour tenter de comprendre, parce que c'est tout de même hallucinant! En 1995, huit cents femmes marchent dix jours, au bout desquels se rassemblent à Québec autour de dix-huit mille personnes, hommes, femmes et enfants. C'est une belle mobilisation, j'en conviens. Mais en l'an 2000, nos estimations conservatrices évaluent qu'en dix jours nous avons mobilisé quarante mille femmes et hommes — des femmes, en grande majorité — en région et à Montréal. De plus, nous avons joué un rôle de chef de file pour l'organisation de cet événement internatio-nal, ce dont le gouvernement québécois était très fier… Nous avons reçu des félicitations des gouvernements de Québec et d'Ottawa, de même que leur soutien financier. Mais en bout de ligne, en réponse à nos revendications, ils ne nous ont presque rien accordé. Il y a là quelque chose qui demeure pour moi, en-core aujourd'hui, incompréhensible.

Il n'y avait aucun référendum en vue…

Voilà! Ce qui me fascine, c'est que depuis un an, un an et demi, le gouvernement péquiste se comporte différemment. Il a rou-vert le dossier du logement social, par exemple, en y injectant 500 millions de dollars. Au moment de la Marche mondiale, le dossier était fermé, le logement social était passé de mode! Les femmes devaient viser l'accès à la propriété. Pratique pour les femmes pauvres! Monsieur Bégin — et je l'en félicite — a fait adopter son projet de loi sur l'union civile en accordant des droits parentaux aux conjointes et conjoints de même sexe. Le gouver-nement a enfin accordé aux étudiants et étudiantes à temps par-tiel l'accessibilité aux prêts et bourses. Le salaire minimum a été augmenté de trente sous; cela n'est pas le paradis, mais c'est quand même mieux que dix sous! La réforme de la Loi sur les normes du travail a été complétée (merci à Jean Rochon), la Loi contre la pauvreté et l'exclusion, adoptée. Mais on attend un plan d'action chiffré pour savoir si les personnes pauvres auront plus de pain et de beurre sur leur table.

Pourquoi le gouvernement québécois n'a-t-il pas voulu répon-dre, au moins en partie, à nos revendications sur la pauvreté en octobre 2000? Ce qu'il a accordé était dérisoire : 13 millions sur trois budgets à des programmes ciblant une infime partie des per-sonnes pauvres!

Qu'est-ce qui a changé?

Ce n'est pas compliqué! Nous nous trouvons à la veille des prochaines élections, une partie de la gauche déserte le PQ et se retrouve dans l'Union des forces progressistes ou chez les Verts.

Ajoutons que les femmes n'ont pas oublié le 10 ¢ du 12 octobre 2000! Et puis certains péquistes retrouvent peut-être leur fibre social-démocrate… sait-on jamais!

Vous avez déjà cité Louise Harel qui affirmait que les gouvernements peuvent être aveugles, mais qu'ils ne sont pas sourds.

À l'occasion de la Marche mondiale, ils ont été sourds, aveugles et muets.

Vous ne criez pas, vous n'élevez même pas le ton et pourtant, nos premiers ministres, me dit-on, ont parfois peur de vous. En êtes-vous consciente?

Ce n'est pas la première fois que j'entends cette affirmation. Cela me semble vraiment excessif. Après tout, s'ils avaient si peur, ils auraient permis aux femmes, particulièrement à l'occasion de la Marche de l'an 2000, de faire davantage de gains.

Mais durant mon mandat à la présidence de la Fédération des femmes du Québec, je crois avoir été considérée comme une personne crédible, qu'il fallait entendre, soutenue par une bonne partie de la population. Il se peut également qu'à certains moments, sans que je les traumatise — il ne faudrait pas exagérer! —, des premiers ministres se soient dit : « Ah non! pas encore elle! » Je ne pense pas qu'on puisse parler de peur, mais les dirigeants étaient conscients de devoir tenir compte, au moins un peu, de ce que je disais.

Avez-vous l'impression qu'ils ressemblent au petit garçon qui a peur de se faire gronder par sa mère? En effet, entre hommes politiques — ils sont en majorité des hommes —, les choses se règlent parfois à un certain niveau… Avez-vous le sentiment que parfois ils ne savaient pas trop comment vous aborder?

Je me suis parfois posé la question. Je n'en ai pas la certitude.

Une chose est sûre : contrairement à certains chefs syndicaux, par exemple, ou surtout aux représentants patronaux, je n'ai jamais eu un accès direct et facile au bureau du premier ministre. Je tiens à le dire. J'ai rencontré monsieur Bouchard en tête-à-tête, ou en petits groupes, une ou deux fois par année, c'est tout. Mon lien avec le premier ministre était bien différent de celui que peuvent avoir des *lobbies* beaucoup plus influents que ce que certains appellent le « *lobby* des femmes », en d'autres mots le mouvement des femmes.

Quelques semaines avant la Marche mondiale, un membre du cabinet de monsieur Bouchard nous a même affirmé que le gouvernement n'avait pas à négocier avec le mouvement des femmes. Cela me faisait penser à monsieur Lesage qui affirmait : « La reine ne négocie pas avec ses sujets. » Quand on nous a dit cela, j'aurais dû élever le ton. Si j'ai un regret, c'est celui-là.

Même si j'ai eu accès à certains responsables politiques, les choses n'étaient donc pas si simples. De plus, j'ai toujours tenu à conserver une distance entre nous. J'ai toujours refusé les attitudes plus familières… « Salut Lucien! — Bonjour Françoise… » Je n'ai jamais eu envie de jouer « copain copain » avec eux, nous ne le sommes pas! Même si on me l'avait offert, je n'aurais pas voulu fonctionner de cette façon. En effet, je représentais un mouvement social, souvent du côté de l'opposition. Cela n'empêche toutefois pas le respect! Je préfère me faire appeler « madame David », ou à la limite « Françoise », mais avec le vouvoiement. Je m'adresse à un premier ministre en lui disant : « monsieur le Premier ministre ». À chacun son territoire! Il existe des passerelles entre les territoires; nous nous parlons, mais comme deux personnes qui ont des rôles distincts.

Voilà qui est effectivement un peu différent de ce que j'ai pu observer des relations entre hommes, dans d'autres milieux, avec les hommes politiques.

Le mouvement des femmes et ses revendications

Dénoncer, ce n'est pas décider! Vous avez vos revendications, votre démarche. Certains parleront de démagogie : n'est-il pas facile de dénoncer quand on sait qu'on n'aura pas à décider?

Ce n'est pas la première fois qu'on me pose cette question; ma réponse est toujours la même. Si nous nous contentions de dénoncer, vous auriez raison. Mais historiquement, le mouvement des femmes a toujours proposé des solutions qui parfois, au départ, étaient vues par les gouvernements comme impossibles et qui, dans la plupart des cas, ont pourtant vu le jour! L'équité salariale, par exemple : il a fallu quinze ans pour obtenir une loi. Elle est imparfaite, mais elle a le mérite d'exister.

Le mouvement des femmes est un mouvement à la fois idéaliste dans ses objectifs profonds de changement social et extrêmement pragmatique et réaliste dans les solutions qu'il propose. Honnêtement, je pense n'avoir jamais proposé quoi que ce soit d'impossible. Je connais les règles et les contraintes d'un gouvernement provincial. Qu'on le veuille ou non, c'est notre réalité. Le gouvernement fédéral a beaucoup moins de contraintes; nous serions en droit de lui en demander pas mal plus! Je suis également consciente que nous évoluons dans un environnement nommé Amérique du Nord. Je sais tout cela.

Pendant toutes mes années à la présidence de la FFQ, j'ai toujours tenté de proposer des choix dans la limite des contraintes qui sont les nôtres.

J'ai en tête un exemple, celui du Sommet sur l'économie et l'emploi en octobre 1996. Le sommet s'est terminé sur un désaccord... et vous avez quitté la table. Facile de s'en aller?

Très difficile, au contraire! Extrêmement difficile, monsieur Maisonneuve! Voici ce qui s'est passé.

Le sommet précédent avait adopté l'objectif de l'atteinte du déficit zéro. J'en étais à mon premier sommet; j'ai tenté surtout de suivre et d'analyser... Sur place, les groupes communautaires ont vite compris que bien des choses avaient été décidées entre patrons, gouvernement et syndicats, avant même que le sommet commence. Les groupes communautaires et des groupes de femmes étaient les « débutants » parmi cette bande de « grands ». Nous avons vu passer très vite cette entente sur le déficit zéro. Tout ce que nous avons pu faire, à ce moment-là, a été de dire : « Il faudra peut-être bien atteindre le déficit zéro, mais pas à n'importe quel prix! » Nous avons fixé un certain nombre de conditions… que personne n'a écoutées, bien entendu!

Quand est arrivé le deuxième sommet, nous avions compris le jeu. Nous nous étions fixé un objectif : obtenir une clause d'appauvrissement zéro du cinquième le plus pauvre de la population. C'était l'idée de Vivian Labrie, une militante formidable de la région de Québec, l'âme du Collectif pour une loi sur l'élimination de la pauvreté. C'était en fait très simple comme principe : nous demandions au gouvernement du Québec, dans toute sa lutte pour atteindre le déficit zéro et dans quelque politique, loi ou mesure, de s'assurer de ne pas appauvrir le cinquième le plus pauvre de la population. Si on divise la population par quintiles, on retrouve 20 % de gens très riches et 20 % très pauvres. Cette dernière portion correspondait à l'époque à un revenu de 10 000 $ maximum pour une personne seule et près de 20 000 $ maximum pour une famille.

Nous sommes donc arrivés au sommet avec cet objectif : ne pas appauvrir les plus pauvres. C'était vraiment une revendication minimale, d'ailleurs critiquée par des militantes et militants de gauche.

Au cours du sommet, des projets intéressants ont été présentés, par exemple par le chantier sur l'économie sociale. On a aussi adopté le passage de la semaine de quarante-quatre heures à quarante heures. Nous avons applaudi. Mais tout au long des discussions, nous avons rappelé sans arrêt notre position : « Nous allons devoir nous retirer si vous ne nous accordez pas ce que nous demandons. Ce n'est pas négociable. » Qu'y avait-il à négocier? Nous ne demandions pas davantage d'argent pour les plus pauvres, uniquement de ne pas les appauvrir! Un sondage a été publié pendant le sommet : les deux tiers de la population nous appuyaient. Nous ne nous sentions pas seuls : nous étions soutenus par les groupes communautaires et le mouvement des femmes. Nous avions l'appui du mouvement syndical… qui n'était toutefois pas prêt à briser le consensus pour cet objectif.

Finalement, la réponse du gouvernement à notre demande a été la suivante : « Nous nous engageons à ne pas appauvrir les personnes assistées sociales dites inaptes au travail. » Cela représente seulement 15 à 20 % des personnes à l'aide sociale. On excluait aussi les chômeurs, les familles à faible revenu, les personnes âgées pauvres, etc. C'était minable! « De plus, nous mettrons sur pied le fonds de lutte contre la pauvreté. » Excellente idée… mais qui ne répondait pas à notre demande!

Trois groupes de femmes et communautaires ont donc quitté le sommet. Cela a été très difficile.

Dans ce grand forum, tout le monde acceptait le consensus. Je m'en souviens comme si c'était hier. J'ai donc pris la parole : « Je suis désolée, mais je ne peux faire partie de votre consensus. Vous avez fait certaines choses intéressantes, mais vous n'avez pas répondu à une question élémentaire de justice sociale. Je suis obligée de vous dire que je ne terminerai pas la session avec vous. » Des gens sont intervenus. Une personne a même lancé un appel patriotique :« À l'heure où nous sommes tous ensemble, la grande famille québécoise, vous ne pouvez pas faire ça! » Croyez-vous que c'est facile de partir? Mes jambes tremblaient, mon cœur battait à toute vitesse… J'avais le cœur gros, j'aurais voulu que le gouvernement nous concède ce que nous réclamions. J'aurais voulu rester là. Mais non, je ne pouvais pas!

J'ai finalement pris mon courage à deux mains et je me suis levée, aux côtés de mes deux camarades. Je suis sortie en sachant que tous ces gens m'en voudraient, que les éditorialistes parleraient de mon intransigeance… Non, ce n'est pas facile de quitter la table…

Vous êtes une femme de réflexion. Avez-vous pu comprendre pourquoi, autour de cette table où régnait un consensus, on n'a pas pu vous rejoindre sur cette préoccupation de ne pas appauvrir le cinquième le plus pauvre de la population?

Lucien Bouchard affirmait qu'on ne pouvait pas demander une telle chose au gouvernement. Car ce principe l'obligerait — et c'était vrai! — à se demander si un projet de loi appauvrirait les mères monoparentales, les personnes âgées pauvres, etc., faisant partie du cinquième le plus pauvre de la population. Visiblement, il trouvait cela exagérément contraignant et, à la limite, antidémocratique. Nous affirmions pour notre part que si nous nous entendions là-dessus, c'était justement très démocratique! Peu de gens parmi la population seraient prêts à contester ce genre de mesure. Mais nous nous trouvions devant un dialogue de sourds.

La veille au soir, nous avions eu une discussion avec des représentants du gouvernement. Au bout d'une heure de ce dialogue de sourds, j'ai compris que nous faisions face à un mur de briques. Un de mes collègues a même tendu une perche : « Si nous vous demandions de ne pas appauvrir les plus pauvres *dans l'atteinte du déficit zéro et sur ce seul terrain*, seriez-vous capables de vous y engager? » La réponse a été négative. À ce moment-là, j'ai dit : « Allons nous coucher… »

Comment arriver à comprendre? Le gouvernement se disait incapable d'accepter de fonctionner avec une telle contrainte. Pourtant, six mois auparavant, il avait adopté l'objectif incontournable de l'atteinte du déficit zéro en trois ans. Objectif tellement incontournable qu'il avait voté une loi pour s'assurer de le respecter! N'est-ce pas extrêmement contraignant? Les années qui ont suivi l'ont bien démontré : l'objectif a été atteint au prix du système de santé, au prix de graves problèmes dans le monde de l'éducation, au prix de l'appauvrissement des personnes assistées sociales. Le gouvernement a tout de même adopté cet objectif. Mais s'engager pour les plus pauvres… il ne pouvait pas… Il y avait là un choix de société, c'est clair. Et je suis fière d'être sortie!

Est-ce de là que vous est venue l'idée d'une action politique directe?

Non, pas à ce moment-là. En 1996, j'étais présidente de la FFQ depuis seulement deux ans. Si les membres voulaient bien de moi, j'avais l'intention d'y être encore quelques années.

Au nom de toutes les miennes

On ne naît pas militante, on le devient, il me semble. De la même façon, on ne naît pas féministe, on le devient. Pourrait-on dire que c'est presque la démarche « normale » d'une militante de gauche d'établir le pont avec la lutte des femmes?

Pas nécessairement, mais cela se produit souvent. Vers la fin du mouvement En lutte, en 1980-1981, plusieurs militantes sont devenues féministes. Dans mon cas, il y a vraiment eu une prise de conscience due à des expériences personnelles et à un contexte politique plus général. Les années 1980-1984 ont été plutôt chargées de bouleversements dans ma vie personnelle, professionnelle et militante.

Je vous ai parlé des débats qui ont conduit à la dissolution d'En lutte, débats où les femmes ont pris la parole haut et fort. Ça discutait fort, aussi, dans mon syndicat local et ma fédération syndicale. Les femmes exprimaient de plus en plus vigoureusement leurs revendications. Il y avait des résistances et cela nous mettait en colère!

Dans ma vie personnelle, j'ai vécu plein de contradictions. Une grossesse heureuse et facile (en 1979-1980), un bébé désiré… et le choc d'une nouvelle vie, celle de mère. Des moments de bonheur total… et une séparation un an après la naissance d'Étienne. Des tensions, des larmes, un sentiment d'échec. Mais toujours, l'amour de ce bébé volontaire, rieur, exigeant.

Après la séparation, son père et moi avons partagé la garde d'Étienne, mais dans l'ensemble, j'ai assumé davantage de responsabilités. Cela paraissait normal, un si petit enfant et le poids historique du rôle maternel! Je me suis rendu compte très vite que, même lorsqu'il y a volonté de partage entre les parents, l'attente implicite est que la mère demeure la première responsable des mille et une tâches qui découlent de l'éducation d'un enfant. Cela m'a fait réfléchir!

Je me retrouvais donc seule, avec une immense peine, devant le rêve brisé d'une famille unie. J'y faisais face, je travaillais, militais, discutais… et m'épuisais! Je découvrais de nouveaux amours, très compliqués; je lisais des romans féministes; j'étais mère, une mère très présente. Bref, toutes les conditions étaient réunies pour que monte une sorte de révolte qui m'a conduite définitivement au féminisme.

Et je dois dire que mon féminisme n'était pas très reposant à cette époque! Je cherchais à nouveau « l'âme sœur », mais je n'étais pas tendre avec les hommes! Je nageais dans les contradictions.

Mais un jour, on en revient. On rencontre un homme prêt à s'engager, prêt à partager le destin d'une féministe et… on tombe en amour! Je pense aussi que mon nouveau travail au Regroupement des centres de femmes, en 1987, m'a permis de canaliser mon énergie féministe vers des revendications et des actions collectives porteuses d'espoir. J'ai trouvé dans ce regroupement plus qu'un milieu de travail, un milieu de vie, des complicités, même des amitiés qui durent encore.

Et puis la société a évolué. Les années 80 ont vu progresser plusieurs revendications féministes. Les groupes de femmes se sont multipliés, nous nous sentions plus fortes, davantage écoutées. Nous commencions à avoir des alliés.

Un homme peut-il être féministe?

Pour moi, oui. Je sais que toutes mes compagnes féministes ne partagent pas cette position. Cela dépend de ce qu'on entend par féminisme.

Bien sûr, un homme ne peut pas avoir l'expérience intime de ce qu'est être une femme. Et vice versa. Mais un homme peut se sentir solidaire de la lutte des femmes pour l'égalité ; il peut, dans sa vie personnelle, être cohérent et conséquent avec cette bataille et donc partager les tâches, laisser de la place à la parole d'une femme, l'encourager dans ses combats, etc. Je connais des hommes qui le font.

On a collé à un certain type d'hommes que l'on croyait proches des femmes l'étiquette d'« hommes roses ». Je sais aussi que certaines femmes en ont assez des hommes roses. Entre l'homme rose et l'homme féministe, faites-vous une distinction?

Évidemment! D'ailleurs, dans ma vie, je n'ai connu qu'un seul homme rose. C'est, je crois, l'un des plus grands mythes du Québec moderne! L'homme rose est celui qui se croit presque obligé de se promener — je l'ai vu un jour, de mes yeux vu… j'étais morte de rire! — avec son petit bouquin féministe sous le bras, livre que je n'avais d'ailleurs pas lu… Je n'ai pas envie de vivre avec un clone de moi-même. Je n'ai jamais demandé à un homme, dans ma vie, de renoncer à ce qu'il est en tant que personne.

Ce que je demande à un homme qu'on pourrait dire « féministe », c'est tout simplement d'être une personne autonome ne comptant pas sur une femme pour régler tous ses problèmes domestiques, personnels, concernant les enfants, etc. C'est-à-dire d'être un individu capable de s'occuper de lui-même, indépendant dans sa tête et dans les gestes qu'il fait; un individu solidaire des femmes qui dénoncent la violence faite aux femmes. J'attends d'un homme féministe qu'il soit capable de dire à un collègue, un voisin, un beau-frère, que sa blague archi-sexiste n'est pas drôle ou qu'il n'a pas aimé apprendre que celui-ci avait donné une gifle à sa femme… Je m'attends à ce qu'un homme soit capable de faire cela, à sa façon; je n'ai pas à lui dire comment le faire. À un homme féministe, je demande seulement d'être cohérent.

Vous voulez dire qu'il revient aux hommes la responsabilité de ne pas accepter la violence faite aux femmes de leur entourage, et même celle d'intervenir!

Absolument. À mon avis, au Québec, il n'y aura à peu près plus de violence faite aux femmes le jour où tous ces hommes qui affirment ne pas être d'accord — et je les crois — parleront. Les femmes ont commencé à parler : les groupes de femmes, les groupes contre la violence, en particulier, les maisons d'hébergement, les centres de femmes, les Centres d'aide et de lutte contre les agressions à caractère sexuel (CALACS), la FFQ. C'est bien et indispensable. Mais le jour où un homme, jeune ou d'âge mûr, sera capable de dire à son copain, voisin, beau-frère, collègue de travail, que le harcèlement sexuel qu'il observe n'est pas correct… Le jour où, entendant la femme du voisin hurler parce que, de toute évidence, son conjoint est en train de la battre, cet homme appellera la police… Le jour où ces choses-là se feront plus souvent, plus clairement, je suis convaincue que la violence faite aux femmes diminuera de beaucoup.

Voilà ce que je demande à un homme : non pas d'agir comme le féministe de service — j'ai horreur de cela! —, mais d'être cohérent avec les valeurs qu'il dit posséder, dans sa vie privée comme dans sa vie professionnelle.

Partager les responsabilités?

Les féministes parlent beaucoup du partage des responsabilités. Les femmes sont-elles vraiment prêtes à partager les responsabilités avec les hommes?

Cela n'est pas facile, et je suis la première à le reconnaître. Je me rappelle que le père d'Étienne m'avait dit un jour : « Si tu veux que nous partagions les tâches, il faudrait que tu me laisses de la place! » Nous avions convenu qu'une semaine sur deux — pendant la période où nous habitions ensemble —, il serait responsable des achats, couches, nourriture, etc., et s'occuperait davantage du bébé.

Il n'est certes pas facile pour les femmes de donner davantage de place aux hommes lorsqu'il est question du soin des enfants, surtout des petits enfants. En même temps, les hommes doivent comprendre que c'est là une réaction bien humaine. Avant même de mettre son bébé au monde, une femme a souvent été en contact avec d'autres enfants : petits frères et petites sœurs, neveux, nièces, etc. Toute la société, encore aujourd'hui, nous prépare au fait qu'un jour nous serons mères. Depuis que nous sommes toutes petites. Cela signifie que nous intégrons cette réalité : nous serons enceintes, donnerons naissance à un enfant, nous l'allaiterons, nous en prendrons soin… Le congé de maternité, c'est pour nous! Et même si nous ne savions pas trop quoi faire avec un enfant avant d'en avoir un, comme nous passons les premiers mois avec lui, nous apprenons et nous apprenons vite!

Je l'ai ressenti, il s'établit une relation symbiotique entre la mère et son bébé, de sorte qu'il n'est pas facile de laisser de la place au père. Il est vrai que nous devons apprendre à lui faire confiance. Certaines femmes le font très bien; d'autres ont davantage de difficulté. Certains hommes démissionnent rapidement, ne se donnent pas la chance d'apprendre… et ne donnent pas la chance à leur conjointe de leur faire confiance. Mon conjoint actuel m'a énormément étonnée en me disant un jour : « Tu sais, je comprends les mères de réagir comme elles le font. La confiance, ça se mérite! » Et pourtant, François n'est pas un homme rose qui dirait tout ce que je veux entendre… Nous avons parfois de grandes discussions. Cette fois-là, sa réflexion m'avait frappée.

Il devait tout de même être préparé… fréquenter Françoise David, il savait dans quoi il s'embarquait!

Mais il ne connaissait pas du tout Françoise David! Non, il avait surtout eu de bonnes amies féministes et une ex-conjointe, Monique, elle aussi féministe, que j'aime beaucoup.

François trouvait normal que les hommes aient à mériter la confiance des femmes, parce que nous avons en quelque sorte une longueur d'avance quant au soin des enfants. En effet, depuis des millénaires nous avons intégré non seulement l'idée que nous devons être responsables des enfants, mais également que nous sommes compétentes pour le faire. C'est assez fascinant! Existe-t-il une seule femme de plus de vingt-cinq ans qui ne sache pas qu'on doit tenir la tête d'un tout petit bébé? J'ignore où je l'ai appris, mais quand j'ai eu mon bébé dans mes bras, je n'ai même pas eu besoin qu'on me le dise. Quand j'ai changé sa couche pour la première fois, j'ai retrouvé des gestes que j'avais vus chez ma mère vingt ans auparavant. J'ai chanté des berceuses à mon enfant, chansons que ma mère me chantait et que j'étais convaincue d'avoir oubliées… Parfois, certaines choses me revenaient et je me disais : « Wow! Où est-ce que j'ai appris cela? » Ce sont des petites choses toutes simples qui font toute la différence. Mais les hommes peuvent apprendre toutes ces choses et plusieurs le font! Bien sûr, nous devons leur laisser de la place auprès des enfants et comprendre qu'ils peuvent agir à leur façon, parfois différente.

Cela dit, attention aux prétextes qui servent à renoncer très vite à s'occuper d'un enfant! Les hommes peuvent convenir que nous avons une certaine longueur d'avance sur le plan de la compétence parentale, surtout avec des enfants en bas âge… et accepter d'apprendre de nous, pour une fois! La plupart des mères apprécieront, j'en suis certaine, des partager les soins et l'éducation des enfants avec un père vraiment impliqué.

La violence faite aux femmes

Selon les statistiques, une canadienne sur huit aurait subi un ou des gestes de violence durant sa vie. Vous avez déjà parlé, en entrevue, d'une rencontre entre amies, à l'occasion de laquelle vous avez pris conscience que chacune des douze femmes présentes avait été victime de violence.

Incroyable, n'est-ce pas? C'était autour de 1982; j'étais présidente du comité de condition féminine de la Fédération des affaires sociales (CSN). Nous nous sommes retrouvées, douze femmes, de différentes régions du Québec. Après le repas, dans la soirée, nous étions assises ensemble, en train de discuter. Nous nous sommes mises à parler de la violence faite aux femmes. À cette époque-là, on commençait à en parler plus ouvertement. Nous avons fait une sorte de tour de table.

Un jeu de vérité…

Oui, nous nous connaissions suffisamment pour être capables de nous parler… mais sans nécessairement entrer dans les détails de ce que nous avions vécu. Chacune a partagé son expérience, pouvant aller de « Mon oncle m'avait emmenée faire une promenade en voiture, il m'a assise sur ses genoux et me caressait en conduisant » à des formes plus aiguës, plus traumatisantes de violence. Chacune d'entre nous avait un jour subi une forme ou l'autre de violence.

Vous faisiez partie du groupe. Vous avez donc été vous-même victime de violence?

(Silence)

Vous ne voulez pas en parler?

J'hésite. C'est très intime et cela ne concerne pas que moi. Laissez-moi y réfléchir.

(Quelques mois plus tard) Vous avez décidé de parler de votre expérience. Pourquoi?

J'ai consulté des personnes très proches de moi qui m'ont encouragée à le faire. Pour que les femmes et les hommes sachent que cela peut vraiment arriver à n'importe quelle femme. Et pour que l'on comprenne aussi combien il est difficile pour la personne concernée d'admettre, de nommer, d'expliquer cette réalité trop longtemps tolérée.

Voici donc ce qui s'est passé. En 1970, j'ai commencé à fréquenter un garçon prétendument très amoureux de moi. En fait, son « amour » était très possessif, très contrôlant. Il était facilement jaloux, cherchait à m'isoler de mes amis, ne tolérait pas que je rencontre qui que ce soit en dehors de sa présence. Il a même réussi, jusqu'à un certain point, à m'isoler de ma famille.

Je ne réalisais pas tout cela. J'étais étudiante, j'allais à l'université, j'effectuais des stages; j'adorais ce que je faisais. Mais dans notre relation, nous allions de crise en crise, il m'engueulait pour un rien et discutait de façon très agressive.

Un jour, à l'hiver 1972, j'ai appris qu'il avait agressé sexuellement une femme de mon entourage. Je lui ai dit que je le quittais, mais il a menacé de se tuer avec sa carabine. Alors, ébranlée, déstabilisée, je suis restée… trois mois. En mai 1972, je l'ai quitté.

Il ne l'a pas pris… Quelques jours plus tard, il m'a enlevée en me menaçant d'un couteau, m'a emmenée dans un motel et m'a annoncé qu'il allait me violer et me tuer. Je ne sais par quel miracle j'ai réussi à rester calme et à lui jouer la comédie du repentir. Je lui ai promis de partir avec lui et lui ai demandé de me ramener chez moi pour que je prenne quelques affaires. Arrivée chez moi, j'ai appelé la police.

Je sais que tout cela doit vous paraître incroyable, pourtant c'est bien ce qui s'est passé. La fin de l'histoire, c'est qu'il est retourné en Europe, d'où il venait; il n'a jamais été inquiété par la police. Cela aussi est incroyable, quand on regarde ces faits avec nos yeux d'aujourd'hui : un homme agresse sexuellement une femme, en menace sérieusement une autre... sans conséquences judiciaires. Mais il faut se reporter au début des années 70. La police et les juges ne s'intéressaient pas à ce qu'ils appelaient des « chicanes de ménage ». Les familles, soucieuses de préserver leur image, préféraient souvent « régler ça » privément. Et moi, rassurée par son départ, je ne suis pas allée plus loin avec la justice. J'ai seulement voulu passer à autre chose. Par la suite, j'ai connu un autre homme, doux et attentionné, avec qui je suis restée durant cinq ans. Nous sommes encore de grands amis aujourd'hui.

En fait, à l'époque, je n'avais jamais entendu parler de violence faite aux femmes. J'ai mis une dizaine d'années avant de me dire : « Moi aussi...! » Et puis, vous savez, j'étais jeune et orgueilleuse. C'est dur d'admettre qu'on a toléré des comportements violents durant deux trop longues années!

Je n'ai jamais subi de violence parentale; je pourrai lire tout ce que je voudrai sur le sujet, je ne peux la ressentir en moi. Peut-on affirmer que votre expérience de la violence vous permet de saisir la profondeur du désarroi des femmes qui en sont victimes?

Jusqu'à tout récemment, devant une femme battue ou violée, on disait : « Elle l'a voulu, elle l'a provoqué ou l'a fait exprès... Pourquoi est-ce qu'une femme accepte cela pendant des mois, voire des années? » L'expérience que j'ai vécue me permet de comprendre les femmes victimes. Je comprends que des femmes tolèrent trop longtemps de subir cette violence. Je le comprends, parce que ce fut mon cas. Je sais ce qu'est le désarroi, l'anxiété devant l'incompréhensible, le questionnement face à l'inacceptable... Je sais que souvent les femmes espèrent changer les hommes violents, qu'elles se sentent elles-mêmes coupables de cette violence. Heureusement, les femmes — c'est un des acquis du féminisme — la tolèrent de moins en moins longtemps. Mais je demeure horrifiée par tous ces meurtres de femmes, tuées par un conjoint ou ex-conjoint qui n'accepte pas qu'elles exercent des choix, librement. Dont celui de le quitter. La violence subie par les femmes est universelle, il faudra bien s'en rendre compte et agir!

Tout cela étant dit, mon expérience vécue ne m'a pas amenée immédiatement à analyser les racines de la violence faite aux femmes. Ce sont des féministes qui m'ont aidée à comprendre bien des choses. Mais le fait d'avoir été un jour ou l'autre victime d'une forme d'agression parce qu'on est une femme nous permet de saisir la peur, le traumatisme. Cela nous permet également de réaliser que ce n'est pas facile de s'en sortir. Je considère que j'ai eu beaucoup de chance.

Est-il possible que certains gestes agressifs ne soient pas perçus de la même façon qu'on soit homme ou femme?

Bien sûr! Parlons par exemple des « chicanes de ménage ». Un certain nombre d'hommes ne comprennent pas la peur des femmes, dans une situation de dispute où l'homme élève fortement la voix ou brise un objet. Il m'est déjà arrivé de briser une assiette pendant une dispute! Mais je n'ai fait peur à personne... La plupart des hommes n'auront pas peur d'une femme qui vient de briser une assiette dans un accès de colère. Mais la plupart des femmes auront peur si leur conjoint en fait autant. Pourquoi? À cause de toute cette expérience historique de la violence faite aux femmes et parce que, généralement, nous ne sommes pas de taille à répondre à la violence physique! À vrai dire, nous ne l'avons pas appris et cela ne nous intéresse pas... Les femmes traînent avec elles un bagage historique. Les hommes aussi ont le leur où le travail physique, viril, les batailles entre gamins et même la guerre occupent une place de choix. Je ne dis pas ici que tous les hommes ont voulu cela ou se reconnaissent dans ces stéréotypes. Les temps changent, heureusement! Mais, de part et d'autre, nous avons intégré une histoire, des comportements. Et c'est universel!

Ce n'est donc pas sans raison qu'un même geste, posé par l'un ou par l'autre, peut avoir une résonance bien différente. Quoi qu'il en soit, nous n'avons pas fini de discuter ces questions! Tant qu'il y aura partout au monde des femmes bafouées, mutilées, violées, nous devons nous allier, femmes et hommes, pour dire non! Non, nous ne voulons pas que des mères, des sœurs, des fillettes soient exclues et humiliées seulement parce qu'elles sont des femmes. Et les femmes refusent tout autant que des hommes soient humiliés et violentés. Ça aussi, comme féministes, il nous faut l'affirmer! Ils sont, après tout, nos garçons, nos frères, nos amis!

Polytechnique. Le 6 décembre 1989, Marc Lépine tue quatorze étudiantes en criant : « Je hais les féministes! » Beaucoup de féministes ont réagi en disant que le geste de Lépine reflétait la violence qui s'exerce contre les femmes. Qu'en pensez-vous aujourd'hui?

J'en pense trois choses. D'abord, que Marc Lépine était un garçon en détresse — enfant battu par son père — et qui envisageait l'avenir avec désespoir. Il est l'agresseur, mais aussi une victime de la violence. Deuxièmement, qu'il a posé un geste de violence inouïe contre des femmes *parce que c'étaient des femmes*. En ce sens, il a reflété, dans un geste extrême, ce que disent et pensent tous les batteurs et violeurs de femmes du monde. Et troisièmement, je suis frappée de constater que c'est ici, au Québec, que nous avons le plus de difficulté à qualifier le massacre de Polytechnique de geste anti-femmes, antiféministes. Peut-être parce qu'il nous est trop difficile d'admettre qu'ici même, dans une société où l'égalité entre les hommes et les femmes semble acquise en droit, à tout le moins, la violence envers les femmes demeure un problème *social* important. Elle n'est pas seulement l'expression d'une détresse masculine ou d'une carence affective individuelle, mais aussi le reflet d'un mépris rampant des femmes de la part de certains hommes. Quand je dis « social », cela n'indique pas que la violence envers les femmes est pratiquée par la majorité des hommes. Loin de là. Mais les statistiques sont éloquentes : au Canada, des dizaines de femmes sont tuées chaque année par un conjoint ou un ex-conjoint, des milliers sont battues, agressées, harcelées. Il me semble que cela est suffisant pour qu'on parle d'un problème *social*!

5

Françoise David,
première ministre?

Au Québec, la gauche traditionnelle a été piégée par le débat entre fédéralistes et souverainistes. Chacun devait se brancher d'un côté ou de l'autre. Les Partis québécois et libéral ont intégré des éléments et de droite et de gauche. Avec pour résultat que, depuis trente ans, il n'y a pas eu de véritables affrontements entre la droite et la gauche. Mais bien des militants de gauche n'ont jamais renoncé à leur vieux rêve d'un parti bien à eux et à une place dans les débats. Les déboires du Parti québécois, qui ont favorisé le Parti libéral du Québec lors d'une élection complémentaire dans le comté de Mercier en mars 2001, ont pu laisser croire que le temps était venu d'un vrai parti de gauche. On voyait déjà Françoise David leader de ce parti. Imaginez, Françoise David, future première ministre du Québec. Y a-t-elle cru?

Une alternative politique féministe et de gauche?

Françoise David, nous l'avons abordé un peu plus tôt dans cette rencontre, il a été question pour vous, pendant quelques mois, du projet de fonder un nouveau parti politique au Québec. Vous avez pourtant affirmé, en février 2002, qu'il n'était pas question de vous lancer en politique avant les prochaines élections provinciales. Croyez-vous toujours à une alternative politique féministe et de gauche au Québec?

Je n'ai absolument pas changé d'avis sur ce point. C'est à la fin de la Marche de l'an 2000, devant les réponses navrantes du gouvernement québécois, que j'ai exprimé cette hypothèse. Jusquelà, la politique ne faisait même pas partie d'une réflexion pour moi. Des gens me voyaient en politique, moi pas. Il a donc fallu cette indignation profonde, conjuguée aux suggestions de mon entourage, pour que je lance cette idée d'un nouveau parti, qui a fait bien du chemin depuis. Aujourd'hui encore, il m'arrive de rencontrer des gens dans la rue ou au restaurant qui me disent : « Quel dommage, madame David! » Entre temps, il y a eu un début d'unité d'une partie de la gauche autour de l'Union des forces progressistes. Intéressant… et à suivre!

Faites-vous une distinction entre un parti de gauche traditionnel et un parti de gauche féministe? Voyez-vous un lien entre ces deux qualificatifs, de gauche et féministe?

Oui. Évidemment, tout le monde n'est pas obligé de penser comme moi! On peut être féministe de droite, de centre ou de gauche. Moi, je suis féministe et de gauche. En d'autres mots, tout en partageant évidemment l'objectif de l'égalité entre les femmes et les hommes, je ne suis pas intéressée par une société où l'on ne change rien aux structures sociales, aux inégalités sociales, où l'on continue à faire travailler des gens à statut précaire dans des conditions épouvantables, qu'ils soient jeunes, femmes, hommes, immigrants… Une telle société ne m'intéresse pas. Voilà pourquoi je fais un lien entre « de gauche » et « féministe ».

Si un jour je me lançais en politique, je ne pourrais être ailleurs que dans un parti à la fois féministe et de gauche.

Un parti féministe, est-ce à dire un parti de femmes?

Non. Sur ce point-là aussi, on peut avoir des opinions divergentes. Je connais des féministes qui souhaiteraient un parti de femmes seulement. Personnellement, je ne partage pas cette position. Il m'apparaît beaucoup plus intéressant d'avoir un parti de gauche et mixte où l'on recherche une plus grande égalité sociale, une plus grande justice sociale. Et ce parti doit être féministe au sens où il se demande, dans diverses situations : « Sur ce point, les hommes et les femmes sont-ils égaux ? Y a-t-il des différences ? Si oui, comment faire pour que les femmes obtiennent leur juste part, pour qu'elles soient suffisamment représentées, pour qu'elles cessent d'être le groupe le plus pauvre, pour qu'on cesse de leur confier les tâches dont l'État ne veut plus ? » Être féministe et de gauche, pour moi, c'est marier une analyse féministe et une recherche de la justice sociale et du bien commun.

Nous avons déjà des partis politiques au Québec; des femmes militent au sein de ces partis. Elles sont trop peu nombreuses. En quoi l'étiquette féministe changerait-elle la nature d'un parti politique?

Cela n'est pas automatique et exigerait beaucoup de travail… Je l'imagine comme un parti relativement pluriel, avec un certain nombre de principes clairs, mais où l'on admet la pluralité d'opinions. Un parti dirigé de la façon la plus collective possible, avec évidemment une présence paritaire entre hommes et femmes. Au début, il faudrait à mon avis un peu plus de femmes que d'hommes dans la direction du parti pour imprimer une autre façon de travailler. Il faut toutefois que les hommes y aient leur place. Même chose pour les candidatures : au moins 50 % de femmes. En d'autres mots, je vois un parti qui, en tout temps, se préoccupe véritablement de la place des femmes mais aussi qui, dans son fonctionnement, vise davantage le consensus que la confrontation, comme je l'ai vécu dans le mouvement des femmes.

Est-ce que je rêve en couleur ? Je ne sais pas. Il faudrait peut-être essayer !

Vous en êtes bien consciente, les partis politiques ont une marge de manœuvre de plus en plus réduite. Décote des grandes agences, nécessité de contrôler les budgets, remboursement de la dette, etc. Autant de problèmes auxquels même un parti féministe devrait faire face!

Comme je vous le disais précédemment, dans les limites pour le moment imposées par les merveilleuses forces du marché (!), je crois tout de même que des choix sont possibles et que, *a contrario*, d'autres sont à éviter. Par exemple, la Colombie-Britannique n'était pas obligée d'abolir la Commission des droits de la personne ou de limiter les prestations des personnes assistées sociales! Des économistes de droite et des dirigeants de transnationales présentent toutes sortes de propositions auxquelles nos gouvernements adhèrent. Sont-ils toujours obligés de les accepter? Je ne le crois pas.

À l'inverse, de temps en temps, les gouvernements font de bons choix, ont de bons réflexes. Les garderies à cinq dollars, la loi qui permet aux conjoints de même sexe d'obtenir des droits parentaux, la Loi sur les normes du travail, par exemple. La Loi contre la pauvreté et l'exclusion contient aussi un bon potentiel. Des choix sont possibles dans toutes sortes de domaines, même à l'intérieur du système qui est le nôtre. Je sais toutefois que le Québec n'étant pas un pays, il n'a pas tous les pouvoirs, toutes les possibilités…

Même un pays doit tenir compte de la réalité dans laquelle il se trouve, pour nous, la réalité nord-américaine.

Absolument! C'est pourquoi nous ne pouvons plus nous contenter de penser localement. Un parti féministe et de gauche devrait nécessairement être en lien avec d'autres partis semblables ou comparables dans divers pays. En effet, la seule façon d'imaginer des règles différentes sur le plan mondial serait d'avoir, au sein du G-8, par exemple, une majorité de gouvernements de gauche. La soumission aux lois du marché néolibéral, ce n'est pas une fatalité! Des gouvernements peuvent décider de ne plus s'y soumettre aveuglément.

Une majorité de gouvernements féministes et de gauche...

Ce serait encore mieux!

Quel sourire! Vous l'avez bien dit : il y a l'idéal... et la réalité. Un parti politique féministe au pouvoir, donc, ce n'est pas encore pour demain. Avons-nous des indices que les choses seraient différentes si les femmes étaient majoritaires au sein des gouvernements?

Pas toujours. Parfois, oui. Je me souviens très bien, par exemple, vers la fin des années 80, alors que l'avortement n'avait pas encore été décriminalisé au Canada, que des femmes de plusieurs partis se sont levées à Ottawa pour affirmer qu'il fallait permettre aux femmes un libre choix en cette matière. De la même façon, au Québec, les femmes se sont unies au moment d'adopter une loi sur le patrimoine familial, la loi sur l'équité salariale ou celle sur les pensions alimentaires. Oui, il arrive que la présence de femmes en politique fasse vraiment une différence entre obtenir ou non un gain pour les femmes.

Françoise David, première ministre?

Françoise David, en quoi seriez-vous différente de Bernard Landry, de Jean Charest ou de Mario Dumont si vous accédiez au poste de premier ministre?

Je souhaiterais d'abord réduire les écarts de revenu entre les riches et les pauvres; réglementer davantage le marché du travail; favoriser l'accès à la syndicalisation; m'assurer de façon intransigeante que nos entreprises respectent l'environnement, à la ville comme dans les campagnes ou les forêts. C'est pour moi une question de respect pour nos enfants. Je voudrais surtout mobiliser les gens pour améliorer la vie communautaire, les convier à un vaste projet collectif fondé sur la solidarité sociale.

Est-ce que cela serait difficile? Oui, sûrement. Est-ce que je devrais faire certains compromis? Oui, sûrement. Mais j'augmenterais tout de même le salaire minimum ainsi que les prestations d'aide sociale. Je demanderais aussi au corps médical d'être plus généreux et de travailler dans les communautés pour améliorer la santé des Québécois et des Québécoises. Je construirais plus de logements sociaux. Je m'assurerais que les femmes ne portent pas sur leurs épaules tous les malheurs du monde — comme c'est souvent le cas en ce moment — soit gratuitement dans les familles ou sous-payées dans les organismes communautaires.

Finirez-vous par vous lancer en politique?

Peut-être. Pour l'instant, je travaille au sein de *D'abord solidaires*, un collectif de militantes et militants qui s'insurge contre la montée des idées de droite au Québec. Une fois passées les élections provinciales, nous ferons le bilan de notre campagne d'information et d'éducation populaire et nous déciderons des suites.

Je n'exclus rien, je n'annonce rien… Il faut comprendre aussi que notre mode de scrutin actuel ne favorise pas tellement l'élection de candidates et candidats de gauche et féministes! Je milite donc en faveur d'un scrutin qui laisse une large place à la proportionnelle.

Vous vous cantonnez donc encore dans l'action sociale non partisane?

Je ne me cantonne pas, j'agis! Mon groupe et moi suscitons la naissance de collectifs de réflexion dans plusieurs régions du Québec, et ça marche! Beaucoup de gens s'inquiètent de la montée d'idées, non pas neuves, mais conservatrices, porteuses d'un individualisme forcené. Alors je reprends le « bâton de la pèlerine » pour expliquer qu'une société est bien plus agréable à vivre lorsqu'elle est bâtie sur la recherche du bien commun. Agréable pour tout le monde!

Le Québec a besoin d'un projet collectif, bien au-delà de l'addition des intérêts particuliers. Et je pense que beaucoup de personnes recherchent cela, au fond : un projet social, féministe, écologique, de gauche, qui nous convie à donner *ensemble* le meilleur de nous-mêmes. C'est dans le dépassement qu'on est heureux, pas dans « le confort et l'indifférence », comme le titrait bellement Denys Arcand dans l'un de ses films.

En vous écoutant, je me dis que si le premier ministre en titre était avec nous aujourd'hui, il vous dirait peut-être : « Je suis bien d'accord avec vous. Mais si vous faites ce que vous proposez, vous allez mettre le Québec en faillite! »

Je ne suis pas d'accord avec cette assertion. De toute façon, il est fascinant de constater que chaque fois qu'on augmente un tant soit peu le salaire minimum des représentants patronaux nous menacent de faillite généralisée… ce qui ne se produit jamais! Il faudra leur demander sur quelles études ils basent leurs analyses! On nous demande toujours de nous justifier, à nous, les gens de gauche, les petits qui travaillent sur le terrain, supposément parce que nous ne savons pas de quoi nous parlons.

Plusieurs états américains ont un salaire minimum plus élevé que le nôtre. Je lisais récemment un article fort intéressant d'un quotidien montréalais. Le correspondant à New York rapportait que près de quatre-vingts municipalités américaines, dont de très grandes villes comme Boston, viennent d'adopter un principe selon lequel les contrats de sous-traitance de la ville doivent être attribués à des entreprises qui rémunèrent convenablement leurs employés et leur paient un régime d'assurance maladie. Autrement dit, il est possible de payer un meilleur salaire minimum, dans la mesure où nous nous entendons tous là-dessus, si tout le monde est traité de la même façon, si les mêmes règles s'appliquent à tous. Il n'y a alors plus de problèmes de compétitivité. Voilà pourquoi nous devons réfléchir dans une perspective internationale. « Tout le monde », aujourd'hui, ne signifie pas simplement toute la population du Québec, mais également celle des États-Unis, du Mexique, de l'Amérique centrale.

Croyez-vous que le XXIe siècle pourrait être un siècle féministe?

À mon avis, le XXe siècle l'a été. Je crois que la plus grande révolution du XXe siècle a été le féminisme. D'autres révolutions ont eu lieu, mais sans donner les fruits escomptés! Je pense, entre autres, aux révolutions socialistes qui ont été la plupart du temps confisquées par des dictateurs et des oligarques. Je suis loin de m'en réjouir.

La révolution féministe a fait moins de victimes que la révolution russe...

J'ai l'habitude de dire que la révolution féministe est peut-être la plus pacifiste de l'histoire; elle s'est réalisée sans bain de sang. Un peu de bousculade émotive à l'occasion... mais nous n'avons tué personne, nous n'avons pas pris les armes, nous n'avons envoyé personne dans des camps de concentration!

La révolution féministe mondiale est très loin d'être complétée en ce début de XXIe siècle. Nous en avons encore pour des dizaines et des dizaines d'années à continuer de travailler pour l'égalité entre les femmes et les hommes. Mais aujourd'hui, dans presque tous les pays du monde, il existe des groupes féministes, des ressources pour femmes victimes de violence, des groupes d'alphabétisation, des projets de développement communautaire impliquant des femmes, etc. Des conventions internationales sont signées et pas toujours respectées, mais elles ont le mérite d'exister et de poser crûment la question des inégalités, de l'oppression des femmes. Voilà des fruits du XXe siècle! Il nous reste encore, et c'est une tâche énorme, à obtenir que toutes les femmes du monde puissent bénéficier des mêmes droits, soient respectées, tout simplement, comme des êtres humains à part entière. Dans bien des pays, nous en sommes encore loin.

Le 11 septembre 2001

Le 11 septembre 2001 a-t-il fait disparaître l'espoir d'un monde différent? Avec la naissance du XXIe siècle, on pensait que ce nouveau siècle serait plus pacifique...

Il est bien que nous en parlions avec plusieurs mois de recul. En y réfléchissant bien, le génocide rwandais n'est-il pas finalement plus traumatisant? Au Rwanda, au moins huit cent mille personnes sont mortes en quelques mois. Les gens se sont entretués sans que la communauté internationale juge bon d'intervenir, malgré les appels répétés entre autres du général Dallaire... Cela n'aurait-il pas dû nous traumatiser pour longtemps? Est-ce que la guerre en Bosnie, suivie de celle au Kosovo, n'auraient pas dû nous faire réfléchir davantage? Qu'est-ce qu'on dit devant les deux millions de morts du Congo ou devant les huit cents millions d'affamés sur cette terre?

Les attentats du 11 septembre 2001 nous ont causé un choc à nous, Nord-Américains, parce qu'ils se sont produits juste à côté de nous. Voilà notre traumatisme. Mais si j'étais une femme palestinienne, rwandaise ou bosniaque, sincèrement, ne croyez-vous pas que j'aurais depuis longtemps commencé à réfléchir au thème de la guerre et de la paix? Il nous a fallu vivre cet événement-là de près, événement extrêmement traumatisant par sa violence inouïe, par son caractère en apparence irrationnel et barbare, pour avoir vraiment peur.

Les événements du 11 septembre ont conduit à une guerre en Afghanistan. L'une des images présentées au cours de ce conflit a été celle de la libération des femmes, qui vivaient dans des conditions extrêmement difficiles. La réponse aux attentats terroristes a été présentée comme une action de libération.

C'est odieux! Je n'ai pas d'autres mots pour l'exprimer! Il est odieux, ce message présenté par le président Bush et son épouse pour nous dire que cette guerre est une guerre juste, car elle permet de libérer les femmes afghanes. Le monde occidental au grand complet — y compris les Américains — connaissait depuis des années le sort réservé aux femmes en Afghanistan. Les mouvements de femmes partout à travers le monde, entre autres à la Marche mondiale de l'an 2000, réclamaient une intervention. Il n'est certes pas évident d'intervenir dans une telle situation. J'aurais voulu voir les Nations Unies prendre une position ferme face aux Talibans et exercer une véritable pression sur ce gouvernement réactionnaire pour qu'il respecte les droits fondamentaux des femmes. On aurait pu soutenir davantage les mouvements d'opposition, par exemple. Croyez-vous vraiment que les milliers de bombes déversées sur l'Afghanistan par les États-Unis avaient pour but la libération des Afghanes? C'est de la fumisterie! Qu'objectivement cette guerre ait eu comme effet la création d'un espace de liberté pour les femmes afghanes, c'est un fait. Mais que Georges W. Bush ait entrepris cette guerre pour les libérer, alors ça, comme le dirait Gilles Vigneault, « c'est une très, très grosse menterie »! D'ailleurs, un des regroupements les plus sérieux de femmes afghanes, le groupe Rawa — qui s'est battu sous le règne des Talibans pour tenter de défendre les femmes, pour permettre clandestinement aux petites filles d'aller à l'école — ce groupe dénonçait la guerre américaine en Afghanistan. Les Américains ont bombardé l'Afghanistan pendant des semaines et des semaines, à certains moments trois fois le même objectif. Il y a eu un plus grand nombre de victimes civiles en Afghanistan que lors des attentats du World Trade Center. Et Ben Laden court encore...

Évidemment, je me réjouis de cet espace de liberté nouvellement créé pour les femmes. Par exemple, les petites filles sont retournées à l'école... dans la mesure où il reste encore des écoles, et pas dans toutes les villes et villages. Il faut se rappeler cependant que les « Seigneurs de la guerre » contrôlent encore plusieurs régions et qu'ils respectent peu les droits fondamentaux des femmes.

Le 11 septembre représente-t-il une rupture par rapport à l'élan qui semblait se dessiner à la fin du XXᵉ siècle, annonçant une période davantage pacifique?

Je ne crois pas avoir perçu cet élan, comme vous. Mais je ne sous-estime pas l'effet politique du 11 septembre 2001. Après cette date, le gouvernement américain s'est permis ce qu'autrement il se serait peut-être un peu moins permis... moins ouvertement, en tout cas. Il s'est autoproclamé maître du monde et de la démocratie, détenteur de la voie — et de la voix! — vers la liberté, défenseur de valeurs morales supposément supérieures aux valeurs de tous ceux qui ne pensent pas comme lui. Cela est extrêmement inquiétant. On le voit bien avec les préparatifs américains pour une intervention militaire contre l'Irak. Le gouvernement Bush se fiche bien des pertes de vies humaines, surtout quand elles sont arabes... Il est surtout préoccupé de contrôler une région du monde riche en pétrole et de démontrer l'efficacité de la superpuissance américaine, envers et contre tous! Il va jusqu'à appuyer son ami Poutine dans sa sale guerre contre le peuple tchétchène. Tout cela au nom de la lutte contre le terrorisme! Mais ce n'est pas comme ça qu'on pourra en finir avec le terrorisme à grande échelle.

Qu'on recherche les véritables artisans d'une terreur aveugle, soit. Qu'on punisse les auteurs de méfaits après un procès équitable, très bien. Qu'on augmente la surveillance dans les aéroports, qu'on fouille davantage les passagers, soit. Mais lorsqu'on fiche des visiteurs étrangers au teint basané, lorsqu'on détient des réfugiés sans raison, il y a un problème. Les esprits se ferment, la peur s'insinue dans la population. Cela se produit en Europe, avec la montée de la droite et même de l'extrême droite dans certains cas, sur le thème de la sécurité et du danger de l'immigration. Je trouve cela très inquiétant et même dangereux. Je suis convaincue que ça n'est absolument pas la façon de construire la paix. En effet, pendant ce temps, les pays pauvres continuent d'être pauvres; les Palestiniens n'ont toujours pas de pays… Et la pauvreté, l'injustice, l'humiliation sont les terreaux sur lesquels des chefs terroristes bâtissent leurs organisations et recrutent leurs membres, surtout des jeunes. Des jeunes idéalistes de quinze, seize ou vingt ans, généralement des garçons mais parfois des filles, qui donnent leur vie pour le bien de la patrie, pour Dieu ou pour toute autre cause… Ces dirigeants terroristes sont coupables à mes yeux de faire cela à des jeunes. Mais les puissants de ce monde, ceux qui possèdent l'argent, le pouvoir, sont également coupables. Ils vendent des armes par milliards aux pays pauvres, mais leur refusent des règles équitables sur le plan du commerce international et coupent dans l'aide humanitaire. Au cœur de ces responsabilités, nous sommes tous interdépendants.

Mais vous, Françoise David, comment répondez-vous aux terroristes? Un leader israélien affirmait : « Vous vous transformeriez très rapidement en faucon si des bombes sautaient dans vos rues, si des cars explosaient, si des gens étaient tués par des terroristes… »

Évidemment, si une bombe tombait à côté de moi, je serais morte de peur; si je savais qui a posé la bombe, je souhaiterais que cette personne soit punie. On peut toutefois, lorsqu'on dirige un pays, tenter de garder la tête froide! Par exemple, certains Israéliens et Israéliennes militent en faveur de la paix et croient que la meilleure façon de l'obtenir serait de négocier avec les dirigeants palestiniens, de permettre au peuple palestinien d'avoir un État et suffisamment de terre pour nourrir sa population. Une négociation sur cette base ainsi que le retrait des territoires occupés ferait bien plus pour la paix que la destruction de maisons ou l'érection d'un mur de deux cents kilomètres! La spirale de la violence ne mène qu'à plus de désespoir. Il faut donc que, des deux côtés, des gens de sagesse et de paix décident de s'asseoir, de discuter et de négocier pour en arriver à un règlement qui soit satisfaisant pour tout le monde. Il n'existe aucune autre façon d'arriver à la paix.

Françoise David, ma prochaine question vous paraîtra peut-être simpliste... Si des femmes dirigeaient Israël ou l'autorité palestinienne, avez-vous l'intuition que la situation serait différente?

Parfois oui. Parfois non. J'ai rencontré des femmes faucons, mais j'ai surtout rencontré des femmes colombes, israéliennes et palestiniennes. D'ailleurs, depuis des années, au *Jerusalem Link*, des femmes des deux camps tentent de convaincre les guerriers d'abandonner les armes et de négocier. Évidemment, dans une période où l'on détruit des villes en territoires occupés et où des bombes explosent en Israël, le dialogue devient extrêmement difficile. Pour répondre à votre question, placer aujourd'hui des femmes au pouvoir en Israël et en Palestine, à mon avis, ne garantirait pas automatiquement un retour rapide à la paix.

J'aurais toutefois envie de vous dire, presque sérieusement, que ça ne coûterait pas cher d'essayer! Je ne verrais pas là n'importe quelles femmes, mais je serais étonnée que des femmes fassent pire que les dirigeants en place...

Bien des gens l'affirment : s'il y avait dans le monde une plus grande justice sociale, il y aurait moins de terrorisme. Mais comment donc conserver cet idéal de justice sociale?

Il y a des jours où je me pose la question devant l'ampleur de la tâche! Qu'est-ce qui fait donc que je garde espoir et, surtout, que je continue à agir?

Je vois d'abord ce que j'appellerais un « non-choix ». Si j'arrivais un jour à penser vraiment qu'il n'y a plus rien à faire, que nous sommes les victimes sans aucun pouvoir d'un rouleau compresseur qui fait de nous ce qu'il veut, comme le fétu de paille sur l'océan… si j'arrivais à penser cela, je crois que je ne saurais plus très bien comment vivre. Je crois que pour moi la vie n'aurait plus aucun sens.

De façon plus positive, chaque fois que surviennent des moments de découragement, j'ai le réflexe de me dire : « Qu'est-ce que moi, je peux faire, avec les moyens, même petits, qui sont les miens? » En effet, si nous sommes nombreux et nombreuses à agir selon nos petits moyens, peut-être pourrons-nous faire contrepoids au conservatisme montant, aux idées de droite qui s'imposent, au climat de guerre qu'on sent s'installer. Au fond, il faudrait que des millions de gens se disent : « Moi, je vais faire ma petite part. » C'est l'addition de tous ces efforts qui un jour fera une différence.

L'action sociale, une passion

Je ne sais pas si vous allez aimer ma comparaison… Des gens doutaient parfois de l'action de mère Teresa : dans un univers extrêmement difficile, elle affirmait avoir très peu à apporter, mais que ce petit peu, elle l'apportait. N'y a-t-il pas cette même dimension dans ce que vous dites? En d'autres mots, vous renoncez au découragement.

Ce n'est pas que je renonce au découragement. C'est plus fort que moi, je n'ai pas envie d'être découragée, malgré des périodes plus creuses. Et je ne suis pas la seule! Des tas de militantes, de militants ont, chevillée au cœur, la passion d'un monde juste.

Quant à mère Teresa, ce n'est vraiment pas mon genre! Je ne partage pas ses convictions religieuses, son refus de l'avortement et son acceptation de la pauvreté. Je ne suis pas d'accord qu'il y ait des gens pauvres dans un monde si riche. Entre autres au Québec, mais également partout dans le monde. Nous vivons sur une planète riche, qui pourrait nourrir tous ses enfants. Je n'accepte pas la pauvreté et je n'accepte pas qu'à long terme on se contente de servir des petits-déjeuners aux enfants dans les écoles ou de distribuer de l'aide alimentaire aux populations affamées du monde. Moi, je veux transformer l'ordre des choses. Je ne sais pas si nous allons y arriver. Après ma mort, des gens vivront probablement encore dans la pauvreté. Mais d'autres personnes lutteront avec le même objectif : changer l'ordre des choses.

L'action sociale, une passion pour vous?

Bien sûr, sinon il y a longtemps que j'aurais arrêté! L'action sociale, c'est difficile. Cela demande du courage parce qu'on est souvent à contre-courant. Les militants et militantes de l'action sociale ne reflètent pas toujours les idées de la majorité de la population! Toutefois, je me suis souvent sentie appuyée par les femmes et les hommes du Québec. Aujourd'hui encore, pas une semaine ne se passe sans que je rencontre une personne, dans mon quartier, n'importe où, dans des lieux publics, qui me dit : « Ah! Vous êtes madame David! On est d'accord avec vous, continuez ce que vous faites! » Un des premiers plaisirs que je retire de l'action sociale, c'est de sentir que je ne suis pas seule. Ces gens que je rencontre ne se présenteront pas dans des manifestations en brandissant des pancartes, parce que ça ne fait pas partie de leur culture ou de leur façon d'être, mais ils sont d'accord avec nos objectifs.

Un autre plaisir est de travailler en réseau avec des tas de gens intéressants. Le mouvement des femmes dans lequel j'ai œuvré à plein temps pendant quinze ans a été pour moi un réseau extraordinaire de complicité, d'amitié, de tendresse, de plaisir partagé, de fous rires, etc. Cela m'a permis de parcourir toutes les régions du Québec. Dans l'action sociale, on est constamment en apprentissage, en découvertes. Dès qu'on est le moindrement curieux et ouvert sur le monde, c'est passionnant!

Qu'est-ce qui vous permet de garder espoir?

Aujourd'hui, des réseaux unissent des syndicats, des paysans, des groupes de femmes, des environnementalistes à travers le monde. C'est ce qui me donne espoir. Bien sûr, nous sommes encore loin de détenir les mêmes moyens et la même puissance que l'autre réseau, celui des détenteurs d'actions, des grands spéculateurs et des dirigeants. Le rapport de forces est encore inégal, mais au moins il commence à exister!

Ici, au Québec, de vrais débats se font, sur des enjeux fondamentaux. Cela me plaît! Pourvu qu'on avance, qu'on se donne des projets collectifs, le droit de rêver à un Québec égalitaire, juste, écologique… et qu'on prenne les moyens d'y arriver!

Sur le lac Wapizagonke, en Mauricie, été 1994

6

Le jardin secret

Quand la marche est terminée, quand le dossier est clos, quand les projecteurs sont éteints, quand elle rentre chez elle épuisée, que reste-t-il à Françoise David?

La détente

Pour qui vous observe de l'extérieur, on a l'impression que Françoise David se promène de crise en crise, de situation difficile en situation difficile. Avez-vous une recette qui vous permet de décrocher de votre passion pour l'action sociale?

La recette, c'est d'avoir d'autres passions! Ce qui me permet de décrocher le mieux, et presque instantanément, c'est de quitter Montréal pour me rendre dans la nature, même si ce n'est pas très loin. La nature est pour moi un lieu de paix, de méditation, de contemplation toute simple de ce qui est beau. Au printemps, par exemple, si court au Québec, chaque jour je vais voir si mes lilas ou mes tulipes commencent à pousser; j'observe les feuilles des arbres et les changements de couleur, du vert tendre au vert foncé. Cela ne dure que quelques minutes, mais c'est pour moi une façon de décrocher. J'ai toujours adoré la nature, me retrouver au bord du fleuve, par exemple. J'ai un amour pour le Bas Saint-Laurent, qui ne s'est jamais démenti depuis ma plus tendre enfance.

Vous vous y rendiez pendant les vacances...

Tous les étés. J'y retourne maintenant de plus en plus souvent, après plusieurs années d'absence.

Je prends conscience que ma vie est faite d'un tas de petits bonheurs. Pas seulement des bonheurs extraordinaires, que nous ne ressentons pas souvent ces jours-ci parce que les temps sont durs. Je crois que la façon de continuer, d'être bien, c'est de m'accrocher à tous mes petits bonheurs.

Avez-vous davantage conscience de ces petits bonheurs en vieillissant?

Oui. Je crois que je les ai toujours pratiqués, même jeune, sans trop m'en rendre compte. Ce n'est pas simple d'être jeune! On se pose des tas de questions, on n'est pas très sûr de soi; en même temps, on a la vie devant soi. Alors on souhaite tout essayer, on veut tout faire. On est pressé : pressé parce qu'on veut tout vivre, tout de suite; pressé en 2003, et de plus en plus, par le culte de la performance et de la compétitivité.

Aujourd'hui, je n'ai pas le même rapport à la vie. Avec le temps qui passe — il en reste moins long devant que derrière… —, je recherche probablement moins qu'avant l'intensité quotidienne, en tout temps. Je continue bien sûr de travailler. Mais je me sens moins poussée à courir sans arrêt, à tout régler partout. Peut-être est-ce que j'exige un peu moins de moi-même… J'ai donc un peu plus de temps pour autre chose. J'ai l'impression de renouer avec moi petite fille et adolescente. Je suis bien dans des moments de paix, d'harmonie, de beauté. En faisant simplement le tour d'un jardin botanique, par exemple.

C'est une façon pour moi, à certains moments plus difficiles, de continuer de me dire que la vie est belle. Et la vie pourrait être tellement plus belle, parce que théoriquement elle offre tout. Théoriquement. Voilà la grande injustice. En effet, si on est Noir, au Québec, la vie sera plus difficile. Si on est pauvre, ça n'est vraiment pas drôle. Si on est une personne handicapée, malgré les efforts des vingt ou trente dernières années, on ne se sent pas encore complètement intégrée. La vie est plus belle pour certaines personnes — et pour certains peuples — que pour d'autres. Mais théoriquement, elle pourrait nous rendre tous et toutes heureux!

Ma question risque d'être indiscrète, vous y répondrez dans la mesure où vous le souhaitez. Nous connaissons la Françoise David qui participe à des rencontres, souvent à l'avant-scène dans les grandes revendications sociales… Mais de quoi est faite votre vie intime?

Elle est faite de toutes sortes de choses qui ressemblent à la vie de bien des gens. Elle est faite de moments avec mon *chum*, de moments avec mon fils, avec mes amis. Il y a aussi beaucoup de plein air; c'est important pour moi. Ma vie est faite de culture : j'aime le théâtre, le cinéma, les concerts, les expositions. Il ne se passe pas quinze jours sans que je pratique au moins une activité culturelle. Même si je n'ai pas le temps de voir tout ce je voudrais, je me tiens au courant de ce qui se passe sur le plan culturel à Montréal. Cela m'intéresse. Je lis aussi, mais peu de livres théoriques. Surtout des romans.

Nous avons déjà parlé de votre découverte de la littérature. Quels auteurs ont été déterminants pour vous?

Il y en a eu plusieurs, tout au long de ma vie, trop pour les mentionner tous et toutes. Adolescente : *Le Petit Prince*, de Saint-Exupéry et *Chiens perdus sans collier*, de Gilbert Cesbron, un auteur français. Cela ne vous étonnera pas, ce dernier livre raconte l'histoire d'un juge pour la jeunesse, un humaniste… Un peu plus tard : *Bonheur d'occasion*, *Le Survenant* et *Marie Didace*. D'Albert Camus, *L'étranger*. J'ai d'ailleurs de beaucoup préféré Camus à Sartre, qui m'ennuie à mourir! Et puis *L'avalée des avalés*, de Réjean Ducharme, et *Une saison dans la vie d'Emmanuel*, de Marie-Claire Blais. Plus tard, les romans de Simone de Beauvoir. *Les bons sentiments*, de Marilyn French, une histoire de passion totale qui se termine mal. *Les vaisseaux du cœur*, de Benoîte Groulx, une autre très belle histoire d'amour, un peu délinquante.

Plus récemment, mes lectures sont très variées. J'adore les romans policiers, les livres d'Elizabeth George, de Minette Walters ou de Dennis Lehane, par exemple. Ce sont des romans policiers à haute saveur psychologique; les personnages sont aussi intéressants que le suspense de l'histoire. J'ai également dévoré la trilogie de Marie Laberge. Je lis des auteurs français, anglais, américains, québécois, arabes, Amin Malouf, par exemple. J'ai beaucoup aimé *L'ingratitude*, de la jeune Chinoise établie au Québec, Ying Cheng; plus récemment, *Putain*, de Nelly Arcand et *Le tueur aveugle*, de Margaret Atwood. Et, de temps en temps, je plonge dans des essais comme *Le rêve brisé*, de Charles Enderlin, sur les négociations israélo-palestiniennes ou *No logo*, de Naomi Klein.

Où trouvez-vous le temps de lire tout cela?

Je lis tous les soirs dans mon lit et je m'endors souvent sur mon livre. C'est comme une sorte de rituel. Certains soirs je lis quinze minutes, parfois une demi-heure. Je peux mettre un mois à lire un livre! Mais dès que j'ai des vacances, je lis trois livres par semaine.

Vous aimez la musique, les concerts.

Je n'y vais pas souvent, faute de temps, mais j'aime la musique classique. J'aime également les chansons à textes et les musiques du monde, ainsi que les musiques traditionnelles. Dans ce domaine, je confesse ne pas être très « moderne ». Je n'aime pas la musique disco, les basses qui vrombissent, le son « au boutte ». Ça ne m'a jamais fait *tripper*.

La maternité

Vous avez un fils de vingt-deux ans. Quels sont vos rapports avec ce fils?

C'est aujourd'hui un rapport de grande complicité. En même temps, je suis encore sa mère et il est toujours mon fils. Je me permets de temps en temps de le « disputer » un peu, gentiment, mais nous avons développé une relation de complicité et de grande confiance. Je m'estime très chanceuse d'avoir cet enfant, aujourd'hui un jeune adulte qui se confie, avec qui je peux discuter de tout, absolument de tout. Il est curieux, il s'intéresse à ce qui se passe dans le monde. Nous partageons en gros les mêmes valeurs, ce qui est très important pour moi. En fait, l'expérience de la maternité est probablement l'une des plus déterminantes de ma vie. Voilà une autre grande passion!

Vous faites partie d'une génération de femmes qui, parfois, ont renoncé à la maternité pour privilégier leur carrière ou à cause de toutes sortes d'autres circonstances. En effet, la maternité a parfois été considérée comme un signe de dépendance.

C'est curieux, ce que vous dites, car la plupart des féministes que je connais ont des enfants. Il est arrivé que certaines femmes ayant des carrières particulièrement exigeantes décident de ne pas avoir d'enfants. Je trouve que c'est tout à fait leur droit. Mais la plupart des femmes que je connais n'ont pas choisi, à cause de leur carrière, de ne pas avoir d'enfants. Il est vrai que nous en avons eu moins. Mais, en passant, la diminution du nombre d'enfants dans les familles ne dépend pas seulement des femmes!

Les femmes ont des enfants beaucoup plus tard qu'autrefois. Est-ce un problème?

J'ai eu mon enfant à trente-deux ans, pas à vingt-deux. Aujourd'hui, bon nombre de femmes étudient, vont au cégep, un certain nombre font des études universitaires. Elles veulent avoir une profession, s'assurer une certaine stabilité. Les garçons aussi, d'ailleurs.

Je ne crois pas que les femmes veulent à tout prix attendre à quarante ans avant d'avoir des enfants. Mais la réalité aujourd'hui est celle d'un marché du travail extrêmement précaire. Quand on commence à travailler, à vingt-cinq ou vingt-six ans, on se promène souvent d'un petit contrat à l'autre. Habiter un logement assez grand, avoir suffisamment de stabilité financière pour avoir un enfant, ce n'est pas évident. Je comprends donc très bien que les jeunes femmes d'aujourd'hui décident majoritairement d'avoir un enfant entre vingt-cinq et trente ans, pas au début de la vingtaine. La moyenne d'âge des femmes ayant leur premier enfant est, je crois, de vingt-sept ans.

En quoi cette expérience de la maternité a-t-elle été déterminante pour vous?

Avant d'avoir un enfant, j'aimais bien les enfants... sans plus. Honnêtement, je n'avais pas d'attirance particulière. J'aurais pu avoir un enfant plus tôt, mais je n'en sentais pas l'urgence. Quand j'ai rencontré le père de mon fils, à trente ans, je commençais à ressentir le désir d'être mère.

C'est en ayant Étienne dans les bras que j'ai vraiment découvert la maternité. Et je tiens à le dire, car cela permettra de déculpabiliser bien des femmes qui, à vingt-cinq ou trente ans, ne se sentent pas du tout attirées par les bébés. Eh bien! c'est tout à fait correct, nous en avons le droit! C'est parfois au moment où ils tiennent leur bébé dans leurs bras pour la première fois que les femmes et les hommes découvrent le bonheur d'être parents.

Être mère n'a pas toujours été facile pour moi. D'ailleurs, je ne crois pas qu'élever des enfants soit facile. Lorsqu'ils sont petits, c'est physiquement exigeant ; à l'adolescence, cela devient men-

Françoise et son fils Étienne, 1 an

talement épuisant. Je suis donc comme toutes les mères, j'ai eu mes moments de peine, de lassitude ou d'exaspération. Mais ce n'est pas de cela que j'ai envie de vous parler.

Je considère que la maternité m'a rapprochée des femmes; elle m'a permis de bien mieux les comprendre. Je dis parfois en riant un peu de moi que la maternité m'a humanisée. Elle m'a sortie du seul militantisme, de la politique, des réflexions sociales… pour me ramener au bonheur profond et exigeant de la relation humaine. En effet, qu'est-ce qu'avoir un enfant? C'est établir une relation avec un petit être qu'on ne connaît pas, qu'on devine. Au début, on ne sait pas trop à qui on a affaire. On se trouve devant un petit être humain en développement; on le suit dans son évolution, on l'accompagne.

J'ai vécu dans la maternité une aventure merveilleuse. Jusqu'à environ douze ans, les enfants sont, au fond, les êtres qui nous aiment le plus inconditionnellement, et c'est un beau cadeau de la vie. Je dis « jusqu'à douze ans », parce qu'entre douze et seize ans, ils ont parfois l'amour un peu féroce… J'ai aussi découvert que, même au-delà des moments difficiles, notre amour pour l'enfant est, lui aussi, presque inconditionnel. C'est tout de même assez fascinant! Les seuls moments dans ma vie où je me suis dit que je pourrais être très, très méchante, ce sont les fois où j'imaginais quelqu'un s'en prendre à mon fils. À cause de cela, je suis particulièrement horrifiée par toutes les situations, au Québec et dans le monde, où des gens maltraitent des enfants. Cela m'atteint instantanément. Je ne peux tolérer l'idée qu'on fasse du mal à un enfant. Cela n'est pas original, je crois que des tas de gens réagissent de la même façon. Mais dans mon cas, je crois que ma réaction aurait été moins « viscérale » avant d'avoir un enfant.

L'expérience d'avoir un enfant a vraiment été marquante… et m'a aussi demandé beaucoup d'énergie. Dans ma vie, cela n'a pas été une petite passion pour laquelle on dépenserait quelques heures par semaine. Une fois qu'on met un enfant au monde, on est parents pour la vie, pour le meilleur et pour le pire!

Comment voyez-vous la vie de votre fils dans ses rapports avec les femmes? Les jeunes hommes traversent des périodes difficiles où les rapports semblent moins évidents, plus complexes.

Nous en parlons assez souvent et je sens effectivement que mon fils, comme d'autres garçons qui l'entourent, se pose des questions. Les filles aussi s'en posent. Je les écoute et nous en discutons ensemble. Une différence par rapport à notre génération, c'est la levée des interdits, entre autres religieux. Heureusement! Mais ils ont souvent les mêmes interrogations fondamentales que nous lors des premières relations amoureuses : la place de l'un et de l'autre, la jalousie, la complexité du sentiment amoureux, l'expression du désir, les rapports avec la famille de l'un et de l'autre, l'autonomie, etc. Les filles qui font partie du réseau d'amis de mon fils sont des jeunes filles autonomes; elles disent habituellement ce qu'elles ont à dire, se défendent bien, affirment ce qu'elles sont et ce qu'elles veulent faire. Ce qui ne les empêche pas de continuer à être de « vraies filles », bien romantiques!

Je trouve que les garçons, d'après ce que je vois, acceptent assez bien l'affirmation des filles. Certains garçons sont peut-être désemparés devant le comportement des filles et se demandent probablement comment se comporter avec elles. Mais les jeunes que j'observe depuis plusieurs années, que j'ai vus grandir, tant garçons que filles, ne semblent pas particulièrement traumatisés par le féminisme. Je trouve d'ailleurs horripilantes les velléités de certains qui mettent sur le dos des féministes des problèmes — réels — comme le décrochage scolaire des garçons. Le féminisme soutient les démarches d'émancipation des filles mais permet aussi aux garçons de se libérer de stéréotypes contraignants. Le père pourvoyeur, par exemple, ou l'homme viril qui ne doit pas pleurer. Mais il est vrai que des changements rapides, comme ceux que nous avons connus au Québec, provoquent forcément des malaises et des remises en question chez les hommes comme chez les femmes. En incurable optimiste, je crois que nos relations y gagnent en vérité et en profondeur.

Avez-vous tenté de faire de votre fils un féministe?

Je savais que, comme mère féministe, il ne serait pas évident d'élever un fils. Particulièrement vers l'adolescence, à l'âge où il est normal de se révolter contre ses parents, si notre mère, tous les jours, nous casse les oreilles avec ses idées féministes, la première chose que nous ferons, c'est bien sûr de faire le contraire! Rapidement, je me suis dit : « Allons-y doucement. » Je parlais à mon fils de mon travail. Lorsque nous mangions tous les deux le soir, nous échangions. Il me racontait ce qu'il avait fait à la garderie, puis plus tard à l'école. Je lui parlais de mon travail. Je faisais attention pour ne pas toujours comparer les hommes et les femmes, les garçons et les filles… Il m'apparaissait important de respecter mon fils dans son cheminement de garçon.

Évidemment, Étienne a rapidement compris que j'étais féministe. À l'époque, je travaillais pour le regroupement des centres de femmes. Je lui expliquais ce que je faisais en lui parlant surtout de justice sociale. Je savais que je le rejoindrais sur ce point.

J'avais toutefois la préoccupation d'en faire un homme respectueux des femmes et de leur volonté d'égalité. Mais j'ai agi moins par les discours que par les gestes quotidiens. Par exemple, dès qu'Étienne a eu quatre ou cinq ans, tous les quinze jours, nous faisions ensemble notre « demi-heure de ménage ». À l'adolescence, je lui ai montré à faire son lavage.

De même, quand il était bébé, il a porté des vêtements bleus, roses, rouges… je trouvais que cela n'avait aucune importance. Étienne n'a pas été élevé avec l'idée qu'il doit avoir tel type de comportement parce qu'il est un garçon. D'un autre côté, il n'a jamais apprécié jouer avec des poupées, et je ne le lui ai pas imposé. En fait, il m'a demandé des jouets qui sont, essentiellement, ce qu'on pourrait appeler des « jouets de garçon » et je les lui ai donnés. Le seul type de jouets que je n'acceptais pas à la maison, c'était les armes, pistolets, fusils de plastique, etc. J'aurais agi de la même manière avec une fille.

Quand Étienne a commencé à jouer aux jeux Nintendo, j'ai imposé une limite dans le temps : il devait respecter une limite d'heures de jeu dans une journée et dans une semaine. Cela reflétait tout simplement la préoccupation d'une mère qui veut que son enfant aille jouer dehors! Je jetais également un regard sur les jeux qu'il louait : j'en refusais certains que je considérais trop violents.

On a parfois l'impression que vous, les femmes, êtes davantage sensibles à la violence. Pensez-vous que cet interdit aurait pu lui venir de son père?

Oui, tout à fait, et c'est arrivé!

Mais cette préoccupation n'a-t-elle pas une dimension davantage féminine?

Pour avoir discuté avec d'autres parents, d'autres hommes, je dirais que la réaction arrive peut-être un peu plus rapidement de la part de la mère. J'ai aussi eu à en parler avec François, mon conjoint, qui a deux enfants. Son fils Marc-André et Étienne ont passé plusieurs périodes de vacances et fins de semaine ensemble.

François était d'accord avec moi pour éliminer les jeux Nintendo violents, mais j'étais souvent la première à soulever la question.

L'initiative venait de la femme.

Oui. Est-ce la même chose dans toutes les familles? Je suis incapable de l'affirmer. Toutefois, lorsque je parle à des mères de famille, je la sens très présente, cette préoccupation de la violence.

Vous avez eu votre fils à l'âge de trente-deux ans. À trente-trois ans, vous vous êtes retrouvée séparée, avec un enfant en bas âge. Au point de regretter...

Jamais! Jamais, même dans les moments les plus difficiles! Cet enfant, je l'ai désiré, je l'ai adoré le jour où je l'ai vu et ça continue! Bien sûr, son père et moi, nous avons trouvé le rôle de parents parfois exigeant, surtout à l'adolescence, mais c'est comme ça pour tous les parents! Nous sommes maintenant devant un jeune adulte qui a du cœur, qui s'indigne (comme sa mère!), qui voyage, apprend à sa façon, évolue... bref, un garçon dont nous sommes fiers, son père et moi, et que nous aimons tendrement.

Vous ne vous êtes jamais considérée mère monoparentale, parce que le père de votre enfant a assumé sa part de responsabilités. Mais vous savez que de nombreuses femmes se retrouvent effectivement mères seules. Compte tenu de ce que vous venez d'exprimer sur votre bonheur d'avoir un enfant, de cet événement extrêmement marquant de votre vie, comment expliquez-vous que tant d'hommes renoncent aux joies de la paternité?

Je ne le comprends pas. En fait, il y a deux choses que je ne comprends pas et qui m'indignent dans les rapports humains : l'abandon de leurs enfants par certains pères et la violence faite aux femmes et aux enfants. Cela dépasse mon entendement.

Heureusement, de plus en plus d'hommes souhaitent au contraire, dans le cas d'une séparation, un contact fréquent avec leurs enfants et même une garde partagée. Le Québec est d'ailleurs assez unique sur ce point; ce phénomène est beaucoup moins présent en Europe. Évidemment, pour que cela fonctionne, il faut qu'il y ait un bon niveau d'entente entre les parents. Mais récemment, je rencontrais une déléguée syndicale qui me racontait son histoire. Son conjoint et elle ont eu une enfant et se sont séparés au bout de deux ans. Le père n'a jamais voulu revoir sa fille ni payer à son ex-conjointe un sou de pension alimentaire! Le plus douloureux pour cette femme — qui douze ans plus tard en parle encore en pleurant —, ce n'est pas l'argent, mais l'abandon! Sa fille aujourd'hui âgée de quatorze ans vit toutes sortes de problèmes. C'est bien normal quand on se sent abandonnée par son père!

Je me dis ceci : pour qu'un père accepte de ne plus être présent dans la vie de son enfant suite à une séparation, j'imagine qu'il n'a pas dû l'être tellement durant la période où il a vécu avec sa conjointe. Un père qui assiste aux cours prénataux, participe à l'accouchement, prend son congé parental, se lève la nuit pendant les premiers mois, change des couches, soigne un enfant malade… ce père là n'acceptera jamais d'abandonner son enfant s'il se sépare de sa conjointe! Ceux qui le font ont probablement eu une relation plutôt superficielle avec lui.

Avez-vous déjà tenté de percer ce mystère en parlant avec vos amis ou connaissances qui vivent une telle situation?

« Qui se ressemble s'assemble », paraît-il… J'ai des amis masculins, mais séparés ou non, ils sont des pères formidables, impliqués, qui assument leur part de responsabilités. C'est davantage ce genre d'hommes que je fréquente. Un des éléments qui m'ont attirée vers mon conjoint actuel et qui m'ont fait dire « Quel homme, tout de même! », c'est le fait qu'il assumait une véritable garde partagée avec son ex-conjointe, Monique. Cela a fait partie du respect et de l'amour que je lui ai portés. Mes amis ressemblent sur ce point à François : ils sont fous de leurs enfants et très responsables.

À votre avis, pourquoi tant de couples n'arrivent pas, lors d'une séparation, à le faire dans une certaine harmonie face aux enfants?

Cela dépend beaucoup des raisons pour lesquelles on se sépare. Il peut arriver que l'on ne s'aime plus et qu'on ne veuille plus vivre ensemble, mais sans accuser l'autre de quoi que ce soit. En tant qu'adultes responsables, on verra à ce que les enfants souffrent le moins possible de la situation. Certains couples, par ailleurs, en sont incapables : souvent, c'est parce que l'un des deux en veut énormément à l'autre. Les ex-partenaires vivent énormément de colère, de rancune, d'amertume. Dans ces conditions, l'enfant devient souvent objet de chantage.

Il est évident qu'entre ex-conjoints les relations ne sont pas toujours faciles. Mais si on essaie pour un instant de penser à l'intérêt de l'enfant, on choisira peut-être de marcher un peu sur son orgueil et de s'engager dans la voie des compromis.

Dans les revendications des parents, dans la protection des femmes, dans ce qui s'est passé au fil des années, avons-nous toujours tenu compte de l'intérêt de l'enfant ? Souvent, des hommes rencontrés dans le cadre de reportages que j'ai faits m'ont confié s'être sentis exclus après une séparation, soit pour des raisons financières ou autres.

Voilà une question bien complexe à laquelle je vais tenter de répondre. D'abord, rappelons que les changements de mentalités dans une société se font très lentement. Depuis des millénaires, on dit aux femmes qu'elles sont responsables des enfants. On nous le dit et nous l'intégrons : nous devenons nous-mêmes porteuses de cette idée-là. Il n'est donc pas évident de connaître une responsabilité totalement partagée dans un couple ou entre ex-conjoints, même après quarante ans de revendications féministes.

La vie, les rapports humains sont complexes. Nous sommes pétris de contradictions, et c'est normal. La majorité des femmes désirent vraiment et sincèrement que les pères s'impliquent auprès de leurs enfants. Mais en même temps — et je parle ici d'expérience —, elles ont parfois un peu de difficulté à prendre du recul face à leur rôle de mère. De plus, en tant que mères, il est fascinant de voir comme nous nous sentons rapidement coupables de ne pas en faire assez... ou d'en faire trop !

Nous voulons continuer à jouer notre rôle de mère, tenter de nous sentir la moins coupable possible, partager les tâches avec le père… Pas simple, tout ça!

Il est clair que les hommes ont besoin de faire leur place dans tout ce processus. Nous, les femmes, devrons apprendre à déléguer davantage, à faire confiance. Mais les hommes devront aussi prendre leurs responsabilités. Par exemple, ils devront être capables non seulement de changer des couches, mais aussi d'aller les acheter! Des hommes ont commencé à le faire, et j'en suis ravie.

Pour en revenir plus précisément à votre question, ce n'est pas par féminisme que jusqu'à maintenant les juges laissaient toujours la garde des enfants à la mère après une séparation. Tout le monde considérait que, surtout dans le cas de jeunes enfants, c'est ainsi que les choses devaient se passer. Et ça arrange bien la majorité des pères! La différence, c'est qu'aujourd'hui plusieurs d'entre eux affirment qu'ils sont capables de prendre soin de leurs enfants. Et les juges en tiennent compte.

Même des femmes juges…

Oui, car les femmes juges sont capables d'être objectives et de prendre des décisions dans le meilleur intérêt des enfants.

L'amour

Françoise David, croyez-vous à l'amour?

Oui, ce n'est pas très original!

Êtes-vous romantique?

Oui.

Vous avez eu plusieurs amours, ce qui est assez différent des femmes de la génération qui vous a précédée.

Franchement, j'en ai eu un peu trop…

Vous avez donc connu l'échec amoureux.

Bien sûr. Et ça n'est pas drôle tous les jours! Mais on s'en remet, comme vous pouvez le constater.

Comment arrive-t-on à s'en remettre?

Avec le temps, avec le soutien de nos proches, en s'occupant l'esprit et le cœur à d'autres défis, d'autres rêves... Il n'y a pas beaucoup de recettes pour guérir d'un échec amoureux. Si on exclut évidemment tous les malheurs qui accablent nos sociétés, les guerres, les injustices de toutes sortes, l'échec amoureux demeure une très grande douleur dans la vie d'une personne. Tous les êtres humains le savent bien.

Votre approche de l'amour a-t-elle changé avec le temps? Voyez-vous une différence entre « tomber en amour » à vingt ans et « tomber en amour » à quarante ou cinquante ans?

Non. Étonnant, n'est-ce pas? Je trouve qu'on est habituellement assez « niaiseux » quand on « tombe en amour » : on a mal au ventre, on ne sait plus comment agir, on vit une sorte de fébrilité, d'effervescence et de non-raisonnement... qu'on ait vingt, quarante ou cinquante ans. Je suis convaincue que « tomber en amour », quel que soit l'âge, apporte la même douce folie.

Avez-vous la nostalgie de cette effervescence du début? Vous vivez une relation amoureuse depuis seize ans, les choses changent, évoluent... Êtes-vous nostalgique?

Parfois! Ce sont des moments d'une intensité à peu près inégalée dans la vie d'une personne. Alors de temps en temps je me surprends à me dire : « C'était vraiment spécial... et je ne le vivrai peut-être plus jamais! » Mais l'amour que j'ai pour François, la relation amoureuse que nous vivons est tellement précieuse pour moi que j'hésiterais énormément à la sacrifier pour un moment d'effervescence qui ne serait probablement pas durable.

Mais vous n'êtes pas immunisée contre cette rencontre ou effervescence amoureuse qui pourrait resurgir?

Je ne le serai jamais. Je ne la recherche pas, je ne me place pas non plus dans des situations pour la créer, mais je ne cherche pas à m'en protéger à tout prix. Je me contente de vivre ma vie. Nous sommes tous dans la même situation. Personne n'est immunisé contre le choc amoureux ou l'explosion du désir! Il y a, à mon avis, un côté un peu fumiste à l'idée de s'unir pour la vie. « Nous en sommes certains, rien ne peut nous arriver, nous nous jurons fidélité pour la vie. » Voyons donc! C'est faux! C'est tellement faux qu'un couple sur deux échoue à « remplir le contrat ».

On peut toutefois faire des choix. On peut, à certains moments — cela m'est arrivé —, décider de ne pas répondre à une avance ou de ne pas poursuivre ce que j'appellerais un début d'effervescence, parce qu'on choisit de demeurer avec la personne qu'on aime. Parce qu'on sait que se lancer dans une nouvelle relation amoureuse mettrait en péril ce qu'on vit avec notre conjoint.

Puisque vous reconnaissez avoir vécu plusieurs expériences amoureuses, qu'est-ce qui, cette fois, a fait la différence? Qu'est-ce qui, d'après vous, fait que vous fréquentez le même homme depuis seize ans? Est-ce le fruit de la sagesse? Qu'y a-t-il eu de différent et qui fait que cette fois la relation dure?

D'abord, j'ai fait un bon choix. Deuxièmement, nous avons travaillé très fort.

Travaillé fort dans un rapport amoureux?

Je crois que si nous nous étions rencontrés quand j'avais vingt-cinq ans, notre relation n'aurait pas duré. Nous sommes en effet très différents, même dans notre façon de communiquer. Nos deux premières années de fréquentations ont été parfois difficiles. Nous nous aimions, bien sûr. Mais nous nous disputions souvent, parce que nous n'arrivions pas à nous comprendre. Nous disions des mots… et ces mots ne se rencontraient pas. Nous avons eu de l'aide, car nous souhaitions vraiment trouver le chemin pour arriver à nous parler.

Moi, je suis à la fois romantique et très rationnelle. À l'occasion de disputes, je devenais hyperrationnelle; François, lui, est très sensible. Il devenait beaucoup plus émotif que moi et nous ne nous comprenions pas. Je lui disais : « Tu es beaucoup trop émotif! » Il me répondait : « Tu es beaucoup trop rationnelle! J'ai l'impression d'être en train de passer un examen. »

Un examen devant Françoise David, c'est quelque chose!

À l'époque, en 1986, le personnage public Françoise David n'existait pas, ne l'oubliez pas. Mais il est vrai que j'avais déjà une certaine facilité de parole. François aurait voulu que je le comprenne à demi-mot, parce qu'il est comme ça, lui : intuitif, sensible, etc. En fait, c'était assez comique : comme si l'homme était la femme… et que la femme était l'homme! Nous avons dû apprendre à nous parler. Lorsque nous avons su comment communiquer, nous ne nous sommes plus disputés.

Il a fallu de la patience.

Effectivement. Patience que je n'avais pas à vingt-cinq ans. À trente-sept ans, après certains échecs amoureux, après cinq ans de célibat, j'avais vraiment envie de refaire ma vie avec quelqu'un, de vivre un engagement profond. Quand j'ai rencontré François, j'ai senti très vite que me trouvais devant une très belle personne. Il m'aimait, je l'aimais. J'étais prête à y mettre l'effort nécessaire.

Je ne veux pas donner de recettes, mais dans mon cas, il m'a fallu apprendre la patience, la persévérance, apprendre à faire des compromis, lâcher prise, rester moi-même tout en écoutant l'autre, en tentant de comprendre comment il fonctionne.

Je crois également que, pour qu'un couple dure, chacun des deux conjoints doit continuer d'être autonome, libre de ses choix. On ne doit pas toujours viser à tout faire avec l'autre; cela finit par tuer une relation. Une fois qu'on a appris à vivre avec le fait d'être différents, de ne pas avoir toujours les mêmes goûts, les mêmes amis, etc., on a le plaisir de pouvoir partager ses intérêts, de se raconter, de se soutenir mutuellement dans les projets de chacun.

Mais il est important aussi que des conjoints partagent une grande complicité sur des valeurs fondamentales et se rencontrent autour d'affinités particulières. Avec François, par exemple, je partage la passion des voyages; ensemble, nous découvrons des pays et des cultures différentes.

Un autre ingrédient important de la vie de couple : l'humour. Personne au monde ne me fait rire autant que François. Nous avons beaucoup de plaisir ensemble.

Vous avez eu à peu près les plus longues fréquentations que je connaisse! En effet, François et vous vous êtes fréquentés pendant de longues années avant de cohabiter.

Après la naissance d'Étienne et ma séparation, j'ai vécu cinq ans de célibat. Un célibat actif, en fait; je ne suis pas restée vierge et martyre pendant cinq ans! Je cherchais l'âme sœur. J'ai vécu, pendant ces années-là, des amours extrêmement passionnées et passionnantes… mais qui se terminaient toujours en queue de poisson. J'ai eu des expériences magnifiques, d'autres douloureuses. À travers tout cela, j'ai développé une plus grande confiance en moi sur le plan de la vie amoureuse. En effet, on peut avoir confiance en soi dans sa vie professionnelle, mais beaucoup moins dans sa vie personnelle. À force de « me casser le nez », à force de réfléchir, de pleurer, de crier, de vouer les hommes à tous les enfers de la terre tout en désirant quand même partager ma vie avec un homme, un mûrissement s'est produit peu à peu.

Quand j'ai rencontré François, j'en étais arrivée à un point où j'avais arrêté de chercher frénétiquement l'âme sœur; j'avais cessé de vivre des histoires compliquées… mais je n'avais pas renoncé à l'amour. J'avais compris aussi que j'étais capable de vivre seule, d'être indépendante, de m'occuper seule d'une maison, de gérer ma vie, mes revenus, mes activités sociales. J'ai commencé à me sentir bien, autonome. Fait étonnant, c'est à ce moment-là qu'il est apparu dans ma vie. Nous nous sommes rapprochés peu à peu.

Nous n'avons pas habité ensemble durant plus de quinze ans. J'avais besoin de conserver mon autonomie sur tous les plans. Cela lui convenait à lui aussi. Durant toutes ces années, chacun a habité dans son logement; nous sommes demeurés complètement autonomes dans l'organisation de notre vie de tous les jours, dans nos choix et obligations financières, dans les décisions concernant nos enfants respectifs. Évidemment, nous parlions ensemble de toutes ces choses, mais chacun demeurait maître de sa vie, de ses décisions. Nous avons été très heureux ainsi. Et pour nos enfants, ce fut une sage décision. Les enfants de François avaient cinq et huit ans, à l'époque. Étienne avait six ans. J'avais trente-sept ans et François, trente-trois. Nous avions chacun un emploi, des amis, des enfants, un logement en copropriété, nous avions chacun notre vie! Il n'était pas question, ni pour lui ni pour moi, que rapidement nous habitions ensemble. Et ce n'était pas à cause d'un manque de profondeur dans notre engagement. De toutes façons, nos enfants ne l'auraient jamais accepté. En passant, voilà le conseil que je me permets de donner aux gens qui deviennent amoureux et qui, de part et d'autre, ont des enfants. Plusieurs forment rapidement ce qu'on appelle une famille reconstituée, trop rapidement, parfois. Je me demande pourquoi les gens veulent habiter ensemble au bout de six mois. Comme ils se compliquent la vie!

Certains diront que c'est par économie.

D'accord s'ils n'ont pas les moyens et ne peuvent pas faire autrement. Mais nous ne vivions pas dans la richesse, nous non plus! J'œuvrais dans le secteur communautaire et François était magasinier au ministère des Transports…

Mon fils acceptait très bien François dans sa vie; il était ravi d'avoir un demi-frère et une demi-sœur. Mais le plus jeune des enfants de mon *chum* me voyait entrer dans sa vie avec beaucoup de circonspection. Heureusement que nous n'habitions pas ensemble!

Il m'apparaît important pour les conjoints de familles reconstituées de laisser du temps aux enfants. La situation n'est pas facile à vivre pour eux. Au bout d'un an, j'ai réussi à parler avec le petit qui avait alors six ans. Il a compris que je ne venais pas lui enlever son père. À partir de ce moment-là, j'ai pu développer avec les enfants de François une très belle relation.

Vous rêviez, comme aujourd'hui, à la permanence, à la durée. Alors qu'on a eu l'impression, avec les années 70, que ce rêve de permanence dans le rapport amoureux était en train de disparaître.

Dans mon cas, il n'est jamais disparu. Jamais, même dans mes « folies » amoureuses. Ce que je voulais, c'était un engagement profond et durable. Mais qui dit qu'un engagement durable suppose absolument que les conjoints habitent ensemble? Où est-ce écrit? Je vous ai dit ce que je pensais des dogmes!

Y a-t-il une dimension de fidélité dans votre engagement?

Bien sûr. Une fidélité du cœur et de l'esprit. Il existe entre François et moi une fidélité extrêmement profonde, un engagement amoureux qui, encore aujourd'hui, après seize ans, est même plus profond qu'il ne l'était la première année. Pour nous, la fidélité n'a jamais été, comme c'est le cas pour la plupart des couples, une question de fidélité sexuelle. Je ne suis pas en train de dire que nous passons notre temps à « nous envoyer en l'air » ailleurs; ça n'est pas le cas. Mais nous avons convenu, dès le départ, que la fidélité la plus importante était d'abord le refus de l'ambiguïté, l'honnêteté, la transparence. Cet engagement, nous ne l'avons jamais qualifié de « pour la vie ». C'est un engagement au fil du temps. Comment promettre « pour la vie »?

Si vous me demandiez si j'ai envie de vieillir avec François, je vous répondrais : « Bien sûr! » Mais je n'en prends pas l'engagement. C'est différent.

Cela n'est pas pour vous une obligation.

Pas du tout. On ne peut pas s'obliger à ces choses-là. On ne peut pas créer l'obligation amoureuse; les deux mots sont à mon avis incompatibles. On peut toutefois avoir du respect, de la loyauté, de la fidélité dans son sens le plus large. Quand je suis avec une personne, je suis pleinement engagée, mais je me considère totalement libre de mes choix, y compris parfois du choix de renoncer. Choisir, c'est toujours renoncer à quelque chose.

Mais vous rêvez de permanence.

Idéalement, comme bien des gens. J'ai vécu suffisamment de séparations pour ne plus avoir envie de recommencer. Cela dit, s'il arrivait que, pour une raison ou pour une autre, nous n'arrivions pas à régler des différends importants, nous nous séparerions.

Je rêve de permanence, mais pas au prix de mon autonomie ou de la qualité de la relation amoureuse. Je trouve que le danger qui guette le plus les relations durables, c'est l'ennui, l'habitude, la routine, la monotonie! De temps en temps, d'ailleurs, je fais ma « crise de l'ordinaire ». Je l'ai faite il y a environ un an. Un jour, j'ai dit à mon *chum* : « Mais qu'est-ce qu'on va bien pouvoir se dire tous les soirs en soupant ensemble? Il me semble qu'on va manquer de sujets de conversation! » Il a souri et m'a suggéré de ne pas m'inquiéter « préventivement ». Il avait raison : notre vie est si passionnante que nous avons toujours des histoires à nous raconter, des sujets de débat à explorer et des questions à nous poser.

Votre exemple traduit ceci : les échecs ne doivent pas conduire au désespoir amoureux.

C'est plus facile à dire après coup. Sur le moment, on a l'impression que la vie est finie, qu'il n'y aura jamais personne d'autre. Certaines peines d'amour peuvent durer très longtemps! Mais la vie finit par reprendre son cours, l'espoir renaît effectivement et oui, il faut le croire, des êtres viendront partager notre vie.

Si je vous pose la question, c'est que souvent on voit des gens renoncer... Êtes-vous une femme qui a besoin de vivre avec un homme?

Je n'ai pas besoin de vivre avec un homme, mais j'ai besoin d'amour, de complicité, de passions partagées, de tendresse. J'ai souvent dit à François, pendant mes années à la présidence de la FFQ, où j'ai vécu de grands moments de bonheur mais aussi des périodes difficiles, que sa présence à mes côtés contribuait vraiment à me faciliter les choses. J'aurais pu être présidente de la FFQ sans avoir de *chum*. Mais son soutien a été précieux!

Avez-vous gardé en vous des amours qui ne se sont pas réalisées, des amours qui, pour toutes sortes de circonstances, à cause des choix qui ont été faits, ne se réaliseront jamais?

Oui, bien sûr! Une personne de cinquante-cinq ans porte en elle plusieurs rencontres. On peut les vivre à quinze, dix-huit ou quarante ans. Dans ces rencontres, on se découvre une attirance, une « chimie » instantanée avec une autre personne. Elles peuvent déboucher sur une relation amoureuse ou sur de très belles amitiés; d'autres sont sans lendemain. Il arrive qu'on fasse consciemment le choix de renoncer à une passion, à une douce folie amoureuse. Je n'ai aucun regret... mais de beaux souvenirs!

Le temps passe...

À cinquante-cinq ans, on n'a pas nécessairement la même énergie qu'à vingt ans... Comment réagissez-vous devant la perspective de vieillir?

Je trouve cela difficile à certains moments. C'est une réalité que je dois apprivoiser. Je ne suis certainement pas la seule dans cette situation; ça fera peut-être du bien à d'autres que je le dise...

Je dis parfois à mes amies : « Vieillir, c'est se découvrir un nouveau bobo par mois et apprendre à vivre avec! » C'est fatigant! Surtout que les petits problèmes qui se manifestent sont souvent, sans être graves, impossibles à guérir. Si je fais un peu d'arthrite, je peux être soulagée, mais pas guérie. Les problèmes de dos, c'est la même chose. De même que les acouphènes : ils ne disparaîtront jamais complètement.

Par rapport au vieillissement, je suis en train d'apprendre à accepter de vivre toutes sortes de petits deuils ou pertes, pas encore dramatiques mais irréversibles. J'essaie de retarder certaines échéances. Je me tiens en forme. Je fais beaucoup plus d'exercice qu'avant. Je m'alimente mieux. Au fond, je voudrais devenir une vieille en bonne santé et autonome, continuer d'avoir du plaisir, voyager encore longtemps, être toujours impliquée dans l'action sociale. Je ne pense pas un jour prendre ma retraite sur ce dernier plan. J'ai donc tout intérêt à faire attention, à me ménager un peu et à garder ma « machine » en forme. Vieillir me dérange, mais je l'oublie dès que je suis occupée, que j'ai du travail à faire. J'arrête alors de me complaire dans mes petits malheurs… Dans l'ensemble, je demeure joyeuse et plutôt sereine.

Ma peur, ce n'est pas de vieillir mais plutôt d'être malade et de mourir. J'ai toujours eu peur de la mort.

Peut-être parce que votre mère est morte très jeune?

Je ne crois pas. Comme mes frères et sœurs, j'ai été présente dans les derniers moments de la vie de ma mère et de mon père. Cela ne m'a pas traumatisée. Je serais capable, par exemple, d'accompagner jusqu'à la mort une amie très malade, en phase terminale. Je ne dis pas que ce serait facile, mais j'arriverais à le faire. Je sais que certaines personnes ont la phobie des hôpitaux, des gens malades et des salons mortuaires. Ce n'est pas mon cas.

Votre peur est de quel ordre?

Ce qui me fait peur, c'est l'idée de ne plus exister. C'est l'idée qu'un jour tout s'arrête : toute la vie, tout ce que je vois autour de moi, toutes les personnes qui m'entourent… tout cela, tout d'un coup. Pour moi, la mort est une sorte de tunnel où l'on entre et d'où l'on ne ressort pas.

Dans votre anticipation des choses, vous n'en êtes pas encore rendue au tunnel de lumière…

Non. Et mon problème — si on peut parler de *problème* — c'est que je ne crois pas en l'au-delà. Il y a quelque chose de rassurant dans le fait d'y croire ; on a l'impression qu'on ne mourra pas tout à fait. Pour moi, la fin est plus brutale. Parfois je me dis que je croirai peut-être à une vie après la mort quand je serai vieille…

Comme une police d'assurance?

Oui… Peut-être. Parfois je me demande : « Est-il vraiment possible que tout s'arrête là? »

L'été dernier, je me suis dit que je devrais m'acheter un terrain dans un cimetière que j'aime beaucoup, où je vais régulièrement faire des promenades, le cimetière du Mont-Royal.

Sur le boulevard Mont-Royal.

J'adore ce cimetière, il est magnifique; c'est le jardin des délices. J'aimerais être enterrée là. Quand je raconte cela à des amis, ils me trouvent morbide. Pas moi!

Vous souhaitez vous rattacher à un univers réel, bien vivant, à un univers de beauté.

Exactement. Comme je vais souvent m'y promener, j'aimerais qu'après ma mort des gens viennent marcher et me rendre visite. Je voudrais y planter un arbre qui sera haut et beau dans quelques années. Quand j'y pense, je me sens très vivante!

Ce jardin, cet arbre, c'est pour vous un désir de prolongement?

Peut-être. Je n'y avais jamais pensé de ce point de vue-là, mais c'est une bonne idée. Au fond, ce que je me souhaite, c'est d'être capable d'affronter la fin, le néant, avec une certaine sérénité.

Avez-vous déjà connu l'angoisse?

À certains moments de ma vie, oui. Mais dans l'ensemble, je possède une bonne dose d'optimisme. Il faut être idéaliste, je crois, pour œuvrer dans l'action sociale. Lors de mon départ de la FFQ, j'ai affirmé dans une entrevue à un quotidien : « Je suis une femme idéaliste et lucide. » Je pense que cela me décrit bien.

Je ne vis pas de profondes angoisses qui me font mal pendant des jours… J'en ai vécu, à certains moments de ma vie, de façon ponctuelle. J'en ai vécu beaucoup moins depuis quinze ou seize ans. J'ai le sentiment de conserver en moi une sorte d'énergie fondamentale et profonde. L'amour y contribue certainement, mais aussi un certain mûrissement de mes idées, de mes projets.

Certaines enquêtes affirment que des gens qui vivent une relation de couple ont tendance à vivre plus longtemps et en meilleure santé, comme si le soutien mutuel jouait un rôle…

Il est sûr que le fait de partager sa vie avec quelqu'un aide à traverser les moments plus difficiles. Le sentiment d'être aimé, profondément, par une ou plusieurs personnes, est un ingrédient assez prometteur dans la vie!

Vous êtes une femme qui dégagez une image de force, d'assurance. Êtes-vous du genre à reconnaître facilement vos faiblesses et à reconnaître que vous pouvez avoir besoin d'aide?

Oui. J'ai besoin d'aide, j'ai des faiblesses et je fais des erreurs. Il se peut que je ne le reconnaisse pas immédiatement et que j'aie, sur le coup, une réaction de défense. Par exemple si quelqu'un au travail me dit : « Françoise, je n'ai pas aimé le geste que tu as fait ou la parole que tu as dite. Peut-être aurait-il été préférable d'agir autrement… », la première réaction passée, je me mets à réfléchir; je suis ensuite capable de reconnaître mes torts. J'ai déjà eu beaucoup plus d'amour-propre. Dans la vingtaine, j'étais une jeune femme plutôt orgueilleuse. J'avais tellement de choses à prouver, je voulais être une fille indépendante, sûre d'elle-même, forte, autonome, etc. Cela m'a évidemment conduite à faire des erreurs et à ne pas les reconnaître… probablement par insécurité.

Aujourd'hui, j'ai bien changé. Je ressens beaucoup moins le besoin de prouver des choses. Alors oui, je fais des erreurs et je le reconnais.

Je crois en…

Vous avez grandi dans une famille chrétienne. Vous êtes la fille de parents engagés. Vous nous avez confié : « Je n'ai plus la foi. Il n'y a pas eu de crise, de rupture. C'est venu tout seul… »

Oui, j'ai vécu une sorte de désaffection de la foi.

Est-ce une désaffection de l'Église institution, avec ses curés, ses péchés…

Le rejet des péchés, des règlements, de la confession et de tout ce qui allait avec, c'est venu à l'adolescence. Pour la foi, cela s'est fait progressivement. Un jour, vers dix-huit ou vingt ans, je me suis rendu compte que je ne croyais plus en Dieu. Cela n'a pas été pour moi un moment traumatisant, difficile, compliqué, fruit d'une réflexion sans fin. Un jour, j'ai compris que ce n'était pas ma source de motivation dans la vie. Le sens de ma vie ne réside pas dans le fait qu'il existe un être supérieur.

Mais, je discute aujourd'hui avec des amis croyants pour tenter de comprendre comment on en vient à croire en Dieu.

Que désignez-vous par « Dieu »?

Un être supérieur, une force…

Mais vous lui donnez une image, comme celle reçue de votre enfance?

Non! Il y a d'ailleurs dans le monde des millions de gens qui croient en Dieu, le nomment de diverses manières et en ont une image différente. Autour de moi, des personnes croient en ce qu'on pourrait appeler une force supérieure, qui est plus que l'être humain. Elles croient entre autres en l'au-delà et croient que dans l'au-delà nous participons de cette force supérieure…

Croire en quelque chose qui donne un sens.

Eh oui! J'ai des amis qui croient aussi dans l'Évangile, dans la parole du Christ comme une inspiration pour leur engagement social. Cela rejoint la théologie de la libération, qui m'est évidemment fort sympathique! Pour la théologie de la libération, Jésus était un homme, Fils de Dieu, qui recherchait la justice et qui aimait son prochain. Il aurait aussi bien pu s'appeler Nelson Mandela, Martin Luther King ou Rigoberta Menchu… mais il s'appelait Jésus!

Mais vous, vous n'en faites pas un Dieu.

Non. Et j'essaie de comprendre pourquoi l'être humain a créé Dieu. Comme il y a sur la terre une multitude de gens qui croient en un Dieu, cela doit sûrement correspondre à un besoin des hommes et des femmes. Elles et ils ont besoin de croire en quelque chose qui les dépasse et qui donne un sens à leur vie. C'est une réalité, je suis obligée de l'admettre.

En vieillissant, je me mets à me demander : « Qu'est-ce qui fait qu'eux, ils y croient et que moi, je n'y crois pas? » Je me pose des questions, mais je n'arrive pas à dire que j'ai la foi. Ce à quoi je crois depuis toujours, c'est qu'il existe en chaque être humain une part immense de générosité, de sens du partage et de l'entraide. Cette belle part de l'humanité, c'est l'amour. Mais il y a aussi dans les êtres humains une part de barbarie qu'on voit resurgir régulièrement et qui me fait horreur. Dans ma vie, dans mon action sociale, je mise toujours sur la plus belle part de l'humanité.

À vingt ans, vous avez laissé tomber la foi comme un vieux vêtement qui ne vous faisait plus... Aujourd'hui, à cinquante-cinq ans, vous vous interrogez encore, comme si vous étiez à la recherche d'une réponse.

Mon *chum* est convaincu que, dans le fond, je crois en quelque chose. Sinon, selon lui, il me serait impossible d'agir comme je le fais.

Des zones de mystère demeurent pour moi incompréhensibles. À certains moments, l'humanité est tellement belle que je me dis : « C'est incroyable, tout ce dont l'être humain est capable, quand il le veut! » Il y a des instants magiques : le jour où Nelson Mandela est sorti de prison, par exemple. C'était, pour lui et pour les millions de gens autour de lui, un moment de pur bonheur. Tout d'un coup, tout le monde se sent solidaire, on se sent tous frères et sœurs. C'était pareil lors des deux marches des femmes. Il y a là une sorte de mystère.

De la même façon, je trouve totalement incompréhensible que des gens tuent des enfants à coups de machette. Cela signifie que l'être humain n'est pas fait que de chair et de sang, j'en conviens tout à fait. Il est fait d'esprit, de pensée, de cœur, de sentiments et de toute une zone que je ne comprends pas et qui peut le pousser au meilleur et au pire. Voilà ce qui m'intéresse. Comme je vis avec un historien, je suis captivée par toute l'évolution de l'humanité;

nous nous intéressons à toutes les cultures. J'aime bien explorer autre chose que le monde judéo-chrétien. L'humanité fait des bonds. À certaines périodes, une partie du monde se retrouve bien en avance sur l'autre, le monde arabe, par exemple, au XIe siècle.

Parfois, j'ai le vertige devant l'immensité de ce mystère qu'est l'humanité, qu'on ne peut réduire à de seules notions politiques ou économiques. Pourquoi les guerres de religion ? Pourquoi est-ce que certains acceptent de vivre dans une sorte d'« enfermement » religieux, suivant des règles extrêmement strictes qui nient le libre arbitre et la conscience personnelle ? Pourquoi est-ce que pour des millions de gens l'identité personnelle se construit dans la croyance en des dogmes, en des textes écrits par de simples humains ? Tout cela est déroutant, parfois inquiétant.

Les jeunes sont fascinés par le phénomène de la vie après la vie. Comment expliquez-vous cela ?

Ils le recherchent, dans bien des cas, en dehors des institutions, ce que je trouve intéressant. En parlant avec des jeunes, je me rends compte que plusieurs d'entre eux, ayant été élevés par des parents croyants ou non, mais non pratiquants, se questionnent. Ils se disent, comme mon fils m'a déjà dit : « Voyons, ça ne se peut pas qu'il n'y ait rien après la mort ! Ça n'a pas de sens. » Pourquoi ? Je crois que les jeunes vivent, comme la plupart des adultes finalement, une quête de sens. Cette recherche conduit bien des gens, jeunes et moins jeunes, à se demander ce qui se cache derrière le mystère de la vie et de la mort.

Vous nous avez dit que certains de vos amis trouvent dans la foi un sens à leur vie. Qu'est-ce qui, fondamentalement, donne un sens à la vôtre ?

Le mot qui me vient en tête, c'est le mot amour. Pas seulement l'amour entre mon conjoint et moi, mais l'amour en général. Je crois que je ne pourrais pas faire ce que je fais si je n'aimais pas les gens. J'ai mis beaucoup de temps à le comprendre, à l'exprimer, mais j'aime profondément les gens. Dans le mot amour, j'inclus également les notions d'entraide, de complicité, de partage, de générosité, etc.

Ce qui donne un sens à ma vie, ce sont toutes ces personnes qui se rassemblent, s'indignent, se battent pour la justice, explorent des voies nouvelles avec, elles aussi, un amour de la vie et des gens. Ces personnes-là distillent de l'espoir et de la beauté. Au-delà des analyses politiques, je me sens en étroite complicité avec bien des gens. Voilà ce qui donne un sens à ma vie.

Quelle distinction faites-vous entre foi et spiritualité?

Je ne suis pas théologienne, mais pour moi ces deux réalités sont un peu différentes. Avoir la foi, c'est croire en un être suprême, nommé différemment selon les cultures religieuses. La spiritualité, nous venons d'en parler; elle correspond à cette zone des êtres humains qui appartient à autre chose, qui se nomme autrement que les rapports politiques et sociaux, les rapports du pouvoir et de l'économie. Au fond, tout ce qui est du monde des sentiments et de la croyance en un certain dépassement. La croyance que nous pouvons faire mieux, aller plus loin, améliorer la vie, les conditions de vie des gens. Voilà ma petite définition bien personnelle : tout cela, pour moi, relève du monde de la spiritualité.

L'être humain mérite souvent mieux que ce que la société lui donne… mais il ne reçoit pas « tout cuit dans le bec ». Nous sommes responsables. Il existe pour moi, au-delà de la responsabilité qui appartient à une société, à une structure, ce que j'appellerais la responsabilité individuelle, personnelle. Celle-ci consiste à faire, là où c'est possible, avec les moyens dont on dispose, des choix qui conduiront à une plus grande justice, à une plus grande égalité, à un environnement viable. Parler de ces valeurs-là, c'est pour moi me situer dans le monde d'une certaine spiritualité, au-delà de la compétitivité, des lois supposément immuables du marché et des rapports de pouvoir. C'est me demander : « Ne pourrait-on pas faire mieux au nom d'un certain nombre de valeurs? »

Vous nous avez parlé de ces moments où vous aimez vous retirer dans la nature, vous laisser toucher par la beauté des choses. À quoi pensez-vous alors, si vous vous laissez aller?

Dans les dernières années, il est souvent arrivé que je pense à mon travail. C'est bête, mais en même temps, ces moments de randonnée ou de ski me permettent de réfléchir autrement que dans le brouhaha du quotidien. Et au bout d'une heure ou deux, j'arrête un peu de penser : j'arrête devant une fleur, un arbre, devant le fleuve; ou bien, couchée sur le sol, j'observe les nuages qui défilent dans le ciel ou la marée qui monte.

Vous devenez alors méditative?

Oui, peut-être… Je me laisse porter par un sentiment de bien-être, tout simplement.

Les gens qui la pratiquent affirment que l'une des grandes difficultés de la méditation consiste à atteindre l'impression de vide, le sentiment de ne plus avoir de pensée. Cette impression de vide procure un bien immense, un vrai repos.

Cela m'arrive parfois. J'adore par exemple m'asseoir sur le bord du fleuve avec un livre. Je lis, puis j'arrête de lire : je regarde et pendant un certain temps je ne pense à rien, je m'accroche à tout ce qui est beau. Ces moments me procurent une détente et un repos exceptionnels.

Avez-vous déjà songé à devenir religieuse?

Jamais. Lorsque j'avais huit ou dix ans, une religieuse m'avait demandé : « Alors, mademoiselle David, serez-vous religieuse? » J'avais répondu : « Non, je veux un mari et des enfants. » C'était déjà très clair.

Vous ne vous voyez donc pas au carmel, en pleine méditation…

Non. Mais j'ai beaucoup d'admiration pour les hommes et les femmes qui vivent cette vie-là. Moi, je deviendrais complètement folle. Je suis capable d'être seule, parfois inactive. L'été, je peux être d'une grande paresse, sur le plan du travail, de l'action sociale. Mais j'ai beaucoup d'énergie, j'aime le plein air, la natation, etc. J'ai besoin de bouger, de voir des gens, de débattre. J'aime être au cœur de l'action. Alors le carmel, ce n'est vraiment pas pour moi.

Des rêves

Quel serait votre plus grand rêve qui ne soit pas encore réalisé?

Avoir un jour des petits-enfants.

Vous aimeriez être grand-mère?

J'adorerais cela! Mais je ne suis pas pressée, mon fils n'a que vingt-deux ans. Étienne m'a dit qu'il aimerait avoir des enfants un jour. Les enfants de François aussi. Nous leur disons bien sûr que nous ne sommes pas pressés de devenir grands-parents, ils sont encore bien jeunes.

Lise Payette voue une véritable passion à sa petite-fille. Serez-vous ce genre de grand mère?

Je pense que oui. En même temps, je dois me raisonner, car je pourrais être envahissante, comme grand-mère. Je crois que nous devons respecter nos enfants : mes petits-enfants auront une mère, la conjointe de mon fils, pas moi! Les grands-parents ont leur rôle, qui n'est pas celui de parents. D'ailleurs, je ne voudrais pas du leur; j'ai passé l'âge de me lever toutes les nuits... Les grands-parents ont un rôle de discrétion, de respect, entre autres pour la façon dont leurs enfants élèveront leurs petits. Cela ne doit pas être toujours facile. Je me connais, je n'ai pas toujours la langue dans ma poche...

Écrirez-vous un jour vos mémoires?

Il y a des jours où j'en aurais envie. J'aurais effectivement bien des choses à dire! Mais je ne suis pas prête encore. J'aime trop l'action. Je me sens un peu partagée : j'aime beaucoup écrire, mais l'écriture exige une discipline et une grande solitude. J'aime le travail en réseau, j'aime travailler avec des gens, sentir que ça bouge autour de moi, être au cœur de l'action. Écrire signifie probablement plusieurs mois de réclusion; c'est ce qui me fait un peu peur.

Alors écrirai-je un jour mes mémoires? Je verrai quand je serai vieille!

Si vous écriviez un roman, quel en serait le titre?

Du pain et des roses, pour me rappeler de très bons souvenirs. Les roses comme symboles de l'amour et le pain pour les luttes qui changent le monde. Mais je ne l'écrirai pas, rassurez-vous. Je n'ai pas suffisamment de talent.

Le mot de la fin de notre rencontre, quel serait-il?

Je vous dirais que vous m'avez rendu service en décidant de faire cet entretien. Vos questions m'ont fait beaucoup réfléchir et m'ont fait revivre toutes sortes d'événements. J'ai tenté de vous répondre avec le plus d'honnêteté possible. Cela a exigé un regard lucide sur ma vie, sur ce que je pense, sur ce que j'ai fait. Tout cela est un peu « confrontant ».

Je demeure dans l'étonnement : dans quelques mois, un livre sera publié, fruit de cet entretien. Je n'en reviens pas! Dans ma tête, ce traitement est réservé aux vieilles personnes pleines de notoriété, qui ont remporté toutes sortes de prix et à qui l'on a déjà érigé une statue... Je suis étonnée d'être le sujet d'un livre.

Je me suis également demandée si je ne prenais pas un risque trop grand en acceptant votre invitation. Des gens vont acheter le livre. Que vont-ils en penser? Je sais que je serai très nerveuse lors de sa parution. Il y a là une certaine forme de mise à nu. Je vais devoir apprivoiser l'idée. Heureusement, j'ai quelque temps devant moi!

Françoise David, merci de nous avoir accordé cet entretien.

Épilogue

Françoise David, merci d'être ce que vous êtes

Dans mon travail de journaliste, j'ai le privilège de rencontrer des êtres fascinants impliqués dans leur milieu et dont les actions sont remarquables. Ils viennent de tous les milieux sociaux, de toutes les sphères d'activité. Je ne suis pas d'accord avec eux sur tous les points, mais je les respecte. Car règle générale, ils sont sincères.

Depuis ma première rencontre avec Françoise David, j'ai été séduit par la force de son engagement social et par sa rigueur. Je n'ai jamais mis en doute sa loyauté pour les causes qu'elle défend.

Je la remercie de m'avoir accordé toute sa confiance en acceptant mon invitation à ce long entretien. Comme vous, j'ai découvert en elle une femme dont le discours féministe en est un d'inclusion. Nous, les hommes, y avons notre place.

Et ceux qui sont en rupture avec l'autre moitié de l'humanité, hommes ou femmes, devraient s'inspirer de Françoise David. Oui à l'égalité des hommes et des femmes dans la complémentarité.

J'aime les gens honnêtes, sincères, engagés, qui savent faire le lien entre la raison et l'émotion.

J'aime Françoise David.

Pierre Maisonneuve

Table des matières

Présentation 5

Introduction 7

Chapitre 1
Quelle famille! 15

Chapitre 2
Les pauvres d'abord 39

Chapitre 3
De la lutte des classes à la lutte des femmes 63

Chapitre 4
Des femmes en marche 75

Chapitre 5
Françoise David, première ministre? 103

Chapitre 6
Le jardin secret 119

Épilogue 151

AGMV Marquis

MEMBRE DE SCABRINI MEDIA

Québec, Canada
2003